**St. Louis Community College**

**Library**

5801 Wilson Avenue
St. Louis, Missouri 63110

# The Little Prince

Je crois qu'il profita, pour son évasion, d'une migration d'oiseaux sauvages.

# ANTOINE DE SAINT-EXUPÉRY

# Le Petit Prince

*With illustrations based upon the
original drawings of the author*

EDUCATIONAL EDITION, WITH INTRODUCTION,
NOTES, VOCABULARY, AND BIBLIOGRAPHY

*prepared by*

JOHN RICHARDSON MILLER
PROFESSOR OF FRENCH, VASSAR COLLEGE

HOUGHTON MIFFLIN COMPANY

The Riverside Press Cambridge

*The text and illustrations of "Le Petit Prince" are published by special arrangement with Reynal and Hitchcock, the publishers of the original American editions.*

The Riverside Press
CAMBRIDGE · MASSACHUSETTS
PRINTED IN THE U.S.A.

## A LEON WERTH

*Je demande pardon aux enfants d'avoir dédié ce livre à une grande personne. J'ai une excuse sérieuse: cette grande personne est le meilleur ami que j'ai au monde. J'ai une autre excuse: cette grande personne peut tout comprendre, même les livres pour enfants. J'ai une troisième excuse: cette grande personne habite la France où elle a faim et froid. Elle a bien besoin d'être consolée. Si toutes ces excuses ne suffisent pas, je veux bien dédier ce livre à l'enfant qu'a été autrefois cette grande personne. Toutes les grandes personnes ont d'abord été des enfants. (Mais peu d'entre elles s'en souviennent.) Je corrige donc ma dédicace:*

## A LEON WERTH
### QUAND IL ÉTAIT PETIT GARÇON

# Contents

# Preface

*Le Petit Prince* is unique in being admirably suited for any grade of instruction in French, elementary, intermediate, or advanced. It can, provided with an inclusive vocabulary as in the present edition, be used as the first reading text in an elementary course; it can, with equal appropriateness, be used in an advanced course dealing with literary types or contemporary literature; or it can be used on any level between these extremes. The Introduction and Notes are an attempt to bring out the full and varied significance of the book.

The text is given unchanged and complete. Most of the illustrations have been retained, although redrawn and reproduced in black and white instead of appearing in colors as in the original editions.

Saint-Exupéry wrote his name without a hyphen, but the majority of those who have written of him, especially his own countrymen, have inserted one. All editions of his works, French and American, with the exception of *Flight to Arras*, *Airman's Odyssey*, and the French and English versions of *Le Petit Prince*, omit the hyphen. Reynal and Hitchcock, who published *Wind, Sand and Stars* without a hyphen, state that one was inserted at Saint-Exupéry's request in the four exceptions mentioned above because people in this country were calling him "M. Exupéry."

Since a hyphen appears at Saint-Exupéry's request on the title page of the two original editions, French and English, of *Le Petit Prince*, we have followed that example, but his real name, his chief American publishers admit, is Saint Exupéry.

J. R. M.

*Poughkeepsie, New York*

# Introduction

Antoine de Saint-Exupéry, troisième d'une famille de cinq enfants, naquit à Lyon le 29 juin 1900. Ses ancêtres paternels venaient d'un village limousin du même nom, village de 1300 habitants situé près d'Ussel, dans la Corrèze. L'un de ces ancêtres, César de Saint-Exupéry, s'illustra sur les vaisseaux du Roi de France. Un autre, Georges de Saint-Exupéry, vint avec Lafayette au secours de la jeune Amérique. Il se trouvait devant Yorktown, lors de la capitulation de cette place en 1781.

Par sa mère, née de Fonscolombe, l'écrivain avait des origines provençales. Les de Boyer de Fonscolombe comptèrent, au dix-huitième siècle, parmi les protecteurs des arts et Fragonard leur dédiait des estampes.

Les traditions de la noblesse et de la famille se nouaient donc autour du berceau de celui qui ne devait jamais oublier, pas même et surtout au désert, la maison de son enfance: "Mon Sahara, mon Sahara, te voilà tout entier enchanté par une fileuse de laine!" s'écrie-t-il dans *Terre des hommes* (page 78), lorsqu'en pleine Afrique il revit par le cœur les journées de son adolescence.

Comme Corneille, Saint-Exupéry fut élève des Jésuites. Il étudia chez eux, à Montgré, puis au Mans, et il semble leur avoir gardé une affection respectueuse. Le Jacques Bernis de *Courrier sud* retourne voir ses vieux maîtres "habillés de la lumière dorée des lampes" (page 37), et discute avec eux les philosophes qu'ils lui expliquaient autrefois: Descartes, Pascal et Nietzsche. Descartes et Pascal resteront les livres de chevet de Saint-Exupéry. Pendant la seconde guerre mondiale, Pascal fut parmi ses "constants compagnons" avec Rilke et Baudelaire. (*Harper's Bazaar*, April 1941.)

C'est en Suisse, au collège de Fribourg, que Saint-Exupéry avait terminé ses études pendant la première guerre mondiale. Au cours de vacances passées au château de Saint-Maurice de Rémens, dans l'Ain, il s'était déjà initié à l'aviation. L'enfant s'échappait fréquemment du château pour rejoindre au proche aérodrome d'Ambérieu, l'un des plus anciens de France, ses amis, ses héros, les aviateurs. A onze ans, il reçut le baptême de l'air. Cependant, c'est à l'Ecole navale qu'il se destina; mais sa mauvaise note de français le fit échouer à l'examen d'admission. Il se mit alors à l'architecture. Il fait ensuite son service militaire, à Strasbourg d'abord, où il apprend à piloter, puis au Maroc, où il devient élève-officier, de nouveau en France, où il arrive sous-lieutenant. Libéré du service, il s'essaie pendant un temps aux affaires. Mais Saint-Ex, comme l'appellent ses amis, n'était pas né pour être commerçant. En 1926, il retourne à l'aviation, suit des cours à Perpignan et devient pilote de ligne de la Société Latécoère "qui assura, avant l'Aéropostale, puis Air-France, la liaison Toulouse-Dakar." (*Terre des hommes*, page 11.)

Saint-Exupéry est chargé, honneur insigne, de transporter le courrier, ce courrier que le pilote dispute "à trois divinités élémentaires, la montagne, la mer et l'orage" (*Terre des hommes*, page 34), ce courrier "plus précieux que la vie" (*Courrier sud*, page 48). Au bout d'un an, Saint-Exupéry se voit confier la direction de l'aéroport du Cap Juby, sur la côte de Rio de Oro, colonie espagnole de l'Afrique occidentale. Les livres de l'aviateur ont rendu fameux le nom de cette escale du parcours Maroc-Sénégal. Le "conquérant des sables," comme l'appelle J.-G. Fleury, mène là pendant deux ans une vie d'anachorète. Il va dépanner les avions, sauvant aviateurs et courrier des rezzous des Maures dissidents. Autour du poste, les indigènes sont peu à peu gagnés par ce chef blanc équitable, qui sait faire monter l'eau dans les verres, car Saint-Exupéry pratique la physique amusante: elle le distrait et augmente son prestige. La nuit, dans sa baraque mal close, au lit trop court, il lit les livres que l'avion du courrier lui apporte chaque semaine, et il écrit sa première œuvre, *Courrier sud*.

Les pionniers prolongent la ligne au-delà de l'Atlantique jusqu'au Brésil, puis jusqu'à Santiago, capitale du Chili, avec des appareils qui trop souvent s'écrasaient au sol et dont les meilleurs plafonnaient moins haut que les cimes de la Cordillère des Andes. La Patagonie est conquise à son tour. Saint-Exupéry fonde une station à Punta Arenas, port chilien, tout au sud du continent. Il fait la ligne pendant trois ans et trouve le temps d'écrire *Vol de nuit*.

Cette épopée de l'aviation héroïque, Saint-Exupéry la décrit dans *Courrier sud*, *Vol de nuit*, et *Terre des hommes*.

Au printemps de 1931, il épouse Consuelo Suncin, née dans la république d'El Salvador.

En 1935, il tente le raid Paris-Saïgon avec son mécanicien Prévost; mais l'avion, un Simoun, s'abat en plein désert, en Egypte, aux confins de la Lybie. Après trois terribles journées dont il fait le récit détaillé dans *Terre des hommes*, après avoir résisté à la faim, à la soif, à la fatigue, aux mirages, et au désespoir, les deux hommes sont miraculeusement retrouvés par des Bédouins.

Lorsqu'il ne peut survoler la terre, Saint-Exupéry la parcourt. Il va en Russie, en Indo-Chine, en Espagne. En 1937, il est à Madrid, journaliste. L'année suivante, il vient aux Etats-Unis pour la première fois, apportant son manuscrit de *Terre des hommes*. Il tente un vol vers l'Amérique du Sud, mais son avion s'écrase au Guatemala, et Saint-Exupéry est grièvement blessé. C'est au cours de sa longue convalescence qu'il achève *Terre des hommes*.

Peu de temps avant la seconde guerre mondiale, il traverse l'Atlantique sur l'hydravion *Lieutenant-de-Vaisseau-Paris*.

Il était en Amérique lorsque la guerre éclata. Il rentra immédiatement en France et fut d'abord affecté au centre d'entraînement de Toulouse, puis, sur sa demande, transféré au front.

Capitaine dans une escadrille de grande reconnaissance, il fit la brève et désastreuse campagne. Ses impressions et ses pensées pendant ces tragiques semaines, il nous les donne dans *Pilote de guerre*. C'est aux Etats-Unis qu'après l'armistice il écrivit ce livre ainsi que le *Petit Prince* et *Lettre à un otage*.

Après le débarquement des Alliés en Afrique (novembre 1942), Saint-Exupéry reprit du service dans l'armée française, en Afrique du Nord, puis en Italie. Le 1er juillet 1943 il fut promu au grade de commandant. En mars 1944, la limite d'âge l'atteignit; mais le pilote, qui avait plus de treize mille heures de vol à son actif, obtint sa réintégration dans le personnel navigant et rejoignit en Sardaigne ses camarades du groupe G. R. 2/33, qu'il avait immortalisé dans *Pilote de guerre*. Il accomplit une quinzaine de missions, bravant de nouveau les batteries de défense aérienne. Il rentrait dans un appareil "enrichi de ses trous."

Le 31 juillet 1944, il partit de Corse dans un appareil Lightning P–38 pour accomplir sa huitième mission photographique au-dessus de la France. Il devait photographier les objectifs ennemis de Haute-Savoie, principalement aux environs du lac d'Annecy. Les hasards de la guerre le ramenaient donc près du Bugey, le pays de ses vacances d'enfant, pays qui avait vu son baptême de l'air. Mais Saint-Exupéry ne revint pas de sa mission. Il fut porté "disparu." C'est le terrible mot qui exprime l'incertitude dans les pires éventualités. Après tant de joutes où le héros avait triomphé de la mort, à force d'adresse et de sang-froid, c'était son tour d'être "manquant," comme Fabien de *Vol de nuit*, comme ses camarades d'escadrille pendant la campagne de France. Les amis de Saint-Ex voulurent croire d'abord que la chance, que ses étonnantes qualités le serviraient encore, qu'il reparaîtrait bientôt. Mais ces espoirs furent déçus. Ni l'avion ni le corps de l'aviateur ne furent retrouvés. Comme son double, le mystérieux petit prince, le grand Saint-Ex avait quitté la terre.

Cet homme d'action, ce pilote habile et intrépide, fut un écrivain du premier rang, philosophe, poète, en même temps qu'observateur aigu. Ses livres, écrits sous des ciels si différents, et qui sont traduits en plusieurs langues, nous emportent à travers "l'univers de l'avion et celui du sol." (*Pilote de guerre*, page 201.) Car il faut un outil pour connaître la terre: l'avion nous aide à découvrir son "vrai visage." (*Terre des hommes*, page 63.) Pas seulement la terre, mais l'eau et l'air sont révélés au pilote. Par ses reins, par ses mains, l'homme, au moyen de cet outil, l'avion aux multiples instruments, prend contact avec les éléments. (*Terre des hommes*, page 61.) Saint-Exupéry nous entraîne dans ses vols, de jour et de nuit, par ciel serein et dans la tempête, à toutes les altitudes et sous tous les climats, au cours des traversées épiques du courrier France-Amérique en temps de paix, dans la "moisson de trajectoires" (*Pilote de guerre*, page 167) et le tambourinement des obus lorsque la guerre est déchaînée. Les descriptions sont si justes et si fortes qu'elles font vivre au lecteur le drame même. Mais les images du poète, inséparables du récit, tissent entre les choses des liens nouveaux, insoupçonnés. Et les réflexions du philosophe nous engagent à devenir des êtres responsables et énergiques, des êtres qui trouvent dans le devoir, la solidarité et le sacrifice, leur raison d'exister et leurs joies les plus hautes. Rien d'exaltant comme la foi de Saint-Exupéry en la puissance de l'homme. Avant de peindre l'agonie terrifiante et splendide d'un pilote s'écrasant dans la tempête, il écrit fièrement: "Il aurait pu lutter encore, tenter sa chance: il n'y a pas de fatalité extérieure. Mais il y a une fatalité intérieure: vient une minute où l'on se découvre vulnérable; alors les fautes vous attirent comme un vertige." (*Vol de nuit*, page 140.)

*Courrier sud* (1929) nous conte la vie et la mort du jeune aviateur Jacques Bernis. Au cours de ses vacances, il a retrouvé à Paris une amie d'enfance, Geneviève. Elle est mariée et a un fils; mais l'enfant meurt, le mari ne comprend pas sa femme, et celle-ci se réfugie auprès de Jacques. Tendre et brève liaison, vite dénouée. Le métier, l'action rappellent l'aviateur. Il repart, riche de souvenirs. Un jour, au désert, son avion est abattu par des Maures dissidents. Le chef de l'aéroport de Juby, l'ami de Jacques, retrouve son corps sur une dune, les bras en croix, face aux étoiles:

> . . . Bernis aérien déjà de n'avoir plus qu'un seul ami: un fil de la vierge te liait à peine . . .
> Cette nuit tu pesais moins encore. Un vertige t'a pris. Dans l'étoile la plus verticale a lui le trésor, ô fugitif!
> Le fil de la vierge de mon amitié te liait à peine: Berger infidèle j'ai dû m'endormir (page 227).

C'est déjà la mort du petit prince!

Mais le courrier, trouvé intact, est repris par d'autres mains. Le livre se termine sur un télégramme laconique: "De Dakar pour Toulouse: courrier bien arrivé Dakar. Stop."

Dans *Vol de nuit*, prix Femina de 1931, et dans sa version anglaise (*Night Flight*, 1932), choix du Book-of-the-Month Club en Amérique, la part donnée à l'amour est réduite ou concentrée. C'est l'action qui s'impose et triomphe. Un chef sévère et audacieux, Rivière, sans doute en réalité Didier Daurat, lance ses pilotes sur le parcours France-Amérique. De la Patagonie, du Chili, du Paraguay ils reviennent à Buenos-Ayres. "On y attendait leur chargement pour donner le départ, vers minuit, à l'avion d'Europe." (*Vol de nuit*, page 27.) Les vols de nuit étaient alors périlleux et traîtres, mais Rivière est tenace. Un jeune pilote, Fabien, marié seulement depuis six semaines, disparaît une nuit dans un cyclone. Le chef n'en fait pas moins partir le courrier d'Europe:

> ... L'événement en marche compte seul.
> Dans cinq minutes les postes T.S.F. auront alerté les escales. Sur quinze mille kilomètres le frémissement de la vie aura résolu tous les problèmes.
> Déjà un chant d'orgue monte: l'avion.
> Et Rivière, à pas lents, retourne à son travail, parmi les secrétaires que courbe son regard dur. Rivière-le-Grand, Rivière-le-Victorieux, qui porte sa lourde victoire (page 182).

*Terre des hommes* (*Wind, Sand and Stars*), paru des deux côtés de l'Atlantique en 1939, reçut le Grand Prix du Roman de l'Académie française et fut aussi choisi par le Book-of-the-Month Club. On pouvait appeler *Courrier sud* un roman vécu; de *Vol de nuit* le romanesque était presque absent; avec *Terre des hommes* il a complètement disparu.

L'auteur nous raconte, sans noms d'emprunt, ses aventures et celles de ses camarades. Le livre, dédié au pilote Guillaumet, porte le titre significatif de *Terre des hommes*. Les hardis aviateurs, en leurs dangereux parcours, lancent des passerelles d'un continent à l'autre; ils rapprochent les hommes. La nuit, les lumières des demeures humaines parlent au cœur du pilote: "Chacune signalait, dans cet océan de ténèbres, le miracle d'une conscience." (*Terre des hommes*, page 9.)

Certains pilotes ont, comme Mermoz, sombré dans l'Atlantique Sud. D'autres, Guillaumet dans les neiges de la Cordillère des Andes, Saint-Exupéry dans les sables du désert africain, n'échappent à la mort que par des prodiges d'énergie. Ils veulent revenir vers les hommes, vers ceux qui les aiment, les attendent et leur font signe. Ils y parviennent, et Guillaumet, comme Saint-Exupéry l'aurait pu, s'écrie avec "un admirable orgueil d'homme: 'Ce que j'ai fait, je te le jure, jamais aucune bête ne l'aurait fait' " (pages 45–46).

La dignité de l'homme, dont Saint-Exupéry est si fier, il la respecte même chez le vieil esclave Bark. Il le rachète à ses maîtres, et les mécaniciens de l'escale lui font un petit pécule. Le premier geste de Bark est d'offrir des babouches d'or à des enfants inconnus: "Bark s'avançait, baigné de cette marée d'enfants, comme autrefois de ses brebis, creusant son premier sillage dans le monde" (page 127).

Le livre s'achève sur un appel à la communion ardente des hommes, cette communion où chacun trouvera l'aide de tous pour sa réalisation la plus complète: "Seul l'Esprit, s'il souffle sur la glaise, peut créer l'Homme" (page 218).

L'appel n'a pas été entendu, la deuxième guerre mondiale a éclaté. Saint-Exupéry, dans *Pilote de guerre* (*Flight to Arras*) (1942), nous fait assister à la campagne de mai 1940. Il nous peint le désarroi, l'incohérence de la retraite, la disproportion des armées en présence rendant la résistance impossible: "Nous opposons à l'ennemi un homme contre trois. Un avion contre dix ou vingt et, depuis Dunkerque, un tank contre cent" (page 95).

Dans de telles conditions, les missions de reconnaissance sont futiles; on les fait quand même. "On sacrifie les équipages comme on jetterait des verres d'eau dans un incendie de forêt" (page 12).

Dix-sept équipages sur vingt-trois du groupe de Saint-Exupéry ont fondu dans la tourmente. Mais Saint-Exupéry n'en va pas moins "avec un sérieux imperturbable" (page 146) reconnaître Arras en flammes: "Ce n'est pas le risque que j'accepte. Ce n'est pas le combat que j'accepte. C'est la mort" (page 148).

Pourtant, il échappe aux avions de chasse, aux milliers de projectiles des canons ennemis. Il revient, survolant de nouveau "des routes noires de l'interminable sirop qui n'en finit plus de couler" (page 113).

Il contemple l'exode lamentable des habitants fuyant devant l'invasion. "J'ai la vision soudaine, aiguë, d'une France qui perd ses entrailles" (pages 128–129).

Le misérable troupeau des réfugiés a fait cinq cents mètres pendant que l'aviateur accomplissait sa mission.

Il revient vers son groupe, le paladin, fier de "participer," le cœur rempli de "belle tendresse" pour ses frères d'armes: "J'ai acquis un lien de plus. J'ai renforcé en moi ce sentiment de communauté qui est à savourer dans le silence" (page 191).

Et le soir, rentré à la ferme où il cantonne, il partage le pain de la famille du fermier. A travers ces humbles, il communie avec tout son pays. "Je me sens lié à ceux de chez moi, tout simplement. Je suis d'eux comme ils sont de moi" (page 209).

Quittant la ferme, il va à pas lents, il médite. Au fort du danger, il s'était promis, s'il revenait, cette conversation avec son village. Eclairé par sa mission, il envisage son devoir et l'avenir. Déjà au-dessus de la défaite, il rêve d'un lendemain où l'Homme se dégagera des individus, c'est à dire où la dignité de l'Homme sera respectée en chacun. La civilisation française, "héritière des valeurs chrétiennes" (page 228), tend vers cela depuis longtemps; il s'agit de retrouver par le sacrifice la vérité perdue. Magnifique profession de foi d'un homme qui, dans le désastre de son pays, sans un mot de haine, garde non seulement l'espoir, mais, pour sa nation et pour toutes les autres nations, le sens des valeurs humaines.

Si les vaincus se taisent, leur silence est celui de la graine qui se recueille pour les germinations futures.

Ce livre, interdit par les Allemands pendant l'occupation, devait recevoir une belle récompense posthume. Le grand prix littéraire de l'Aéro-Club de France lui fut unanimement décerné en 1945, le montant du prix devant servir à la frappe d'une médaille destinée à l'escadrille Saint-Exupéry.

Dans la *Lettre à un otage* (1943), Saint-Exupéry reprend l'image de la semence qui terminait *Pilote de guerre:* "Il s'agit, dans cette guerre, de débloquer la provision de semence gelée par la neige de la présence allemande" (page 70).

L'otage, c'est un ami de Saint-Exupéry, un juif français; c'est aussi toute la France qui "à la suite de l'occupation totale, est entrée en bloc dans le silence" (page 31).

Dans la tristesse désemparée de l'exil, Saint-Exupéry pense à sa patrie comme à une "chair" (page 30) dont il dépend. Il retrouve dans son cœur le "réseau de liens qui [le] régissait" (page 30). Son credo n'a pas changé. C'est le respect de l'homme qu'il clame, de l'homme libéré "des polémiques, des exclusives, des fanatismes" (page 67). "Dans les caves de l'oppression," la France se fait une "vérité neuve" (page 71); elle seule aura le droit de parler pour elle-même.

*Le Petit Prince* appartient à cette catégorie de livres tels que les *Fables* de La Fontaine, l'*Oiseau bleu* de Maeterlinck, le *Don Quichotte* de Cervantes, livres rares et fortunés qui plaisent aux enfants et aux adultes. A tous les âges, le lecteur y trouve agrément et profit; son imagination, son intelligence et son cœur s'y plaisent et s'y exercent, y découvrant toujours une richesse nouvelle.

On a souvent dit que l'artiste avait le don de rester enfant, aussi n'est-il pas surprenant que dans le *Petit Prince*, livre essentiel pour comprendre la philosophie de Saint-Exupéry, le héros soit un enfant. Enfant singulièrement doué d'ailleurs, sensible et intuitif, bien fait pour devenir l'ami de l'aviateur homme d'action, auquel il ressemble comme un frère. Dans son premier livre, *Courrier sud*, Saint-Exupéry parlait du "fantôme d'un gamin tendre" (page 36) que Jacques Bernis confrontait avec l'homme qu'il pensait être devenu. C'est ce gamin tendre, peut-être, qui habite maintenant l'astéroïde B 612.

Par sa forme, l'œuvre prend place dans la littérature de voyages fantastiques, déjà riche de récits d'expeditions comme les excursions dans la lune et le soleil de Cyrano de Bergerac, les découvertes de Gulliver ou les randonnées interplanétaires de Micromégas. Mais la différence est grande entre ses devanciers et le petit prince. Lorsqu'il quitte son astéroïde, il n'est pas poussé par un intérêt philosophique comme Cyrano ou Micromégas, par "la soif de voir le monde," comme Gulliver. Non, s'il s'expatrie, c'est qu'il a "des difficultés avec une fleur" (page 41). Il n'a recours ni aux fioles d'eau de rosée, ni aux miroirs ardents, pour aller, comme Cyrano, d'un astre à l'autre. Bien qu'il connût les lois de la gravitation tout comme le Micromégas de Voltaire, le petit prince "profita," sans doute, "pour son évasion, d'une migration d'oiseaux sauvages" (page 20). Et quand il quittera la Terre pour rejoindre son étoile et sa rose, ce sera par les portes mystérieuses et redoutées de la mort, ce sera par la morsure d'un serpent dangereux ou complice.

Comme il a ses raisons et ses moyens différents de voyager, son expérience n'est en rien semblable à celle de ses prédécesseurs. L'homme vit isolé; notre héros le découvrira en visitant des planètes dont chacune n'a qu'un seul habitant. Mais plus encore, l'homme voit dans le vaste univers ce qu'il est préparé à y voir. La Terre, où descend notre explorateur, n'est pas le "petit tas de boue" où Micromégas aperçoit quelques philosophes bavards et où "tout le reste est un assemblage de fous, de méchants et de malheureux." La race humaine qu'il rencontre n'est pas non plus celle des Yahous lubriques et dégénérés de Swift. Les hommes occupent bien peu de place en vérité: "On pourrait entasser l'humanité sur le moindre petit îlot du Pacifique" (page 40). C'est au désert qu'atterrit le petit prince après avoir vu les vaines agitations du roi, du vaniteux, de l'homme d'affaires ou même de l'allumeur de réverbères. Et dans l'infinité du sable, sous les étoiles innombrables, il apprend d'un fin renard le secret de l'amour; il se lie, avec un aviateur, d'une amitié si vive qu'après lui avoir fait ses confidences et avoir obtenu de lui un mouton incomparable, il a peine à le quitter, même pour aller retrouver sa rose. Et le livre s'achève sur le mélancolique regret d'un ami perdu.

Mais la tristesse ne domine pas, il s'en faut, dans ce livre ailé. D'allégories nombreuses dont l'une, la Femme-Fleur, rappelle le *Roman de la Rose*, du treizième siècle, se dégagent une ironie souriante, une façon tendre et héroïque de comprendre l'amour et le devoir, d'accepter la mort. Et le sens du relatif s'exprime à chaque page.

Le petit prince peut bien aimer sa rose; il n'en voit pas moins ses défauts, sa vanité d'être belle, son besoin d'hommages et d'attentions. Arrosoir, globe ou paravent, il faut toujours lui apporter quelque chose pour accroître son bien-être. Pas plus que la rose, les hommes ne sont parfaits: parmi eux, le costume fait le savant, le savant compile plus qu'il ne découvre; la considération va aux réputations établies. Les uns boivent pour oublier qu'ils boivent, d'autres s'épuisent à s'enrichir pour enfermer des morceaux de papier dans des coffres-forts. Le plus grand nombre s'agite sans savoir pourquoi. Et pourtant le bonheur existe. Il existe, si l'on possède des yeux lucides pour le découvrir. Un être, même s'il n'est en rien exceptionnel, devient unique parce qu'il vous a conquis, "apprivoisé," parce que de lui dépend votre joie, parce que tout, dans le monde, le rappelle ou l'annonce. Le petit prince aimait sa rose qu'il croyait seule de son espèce. Un jour il en découvre cinq mille tout aussi belles. Quelle déception! Mais le renard lui fait comprendre qu'une fleur qui vous a "apprivoisé" n'est plus comme aucune autre. Trois stages de l'amour: admiration éperdue; évaluation sagace et désenchantée de l'être aimé; sentiment qu'il est cependant, pour vous, inestimable.

Plus que l'amour encore, le devoir satisfait l'homme. Dans la préface de *Vol de nuit* André Gide déclarait: "... le bonheur de l'homme n'est pas dans la liberté, mais dans l'acceptation d'un devoir" (page 12), et il convient de le répéter ici. L'humble allumeur de réverbères qui, sans trêve, allume, éteint, allume encore pour suivre sa consigne, apparaît au petit prince comme le plus raisonnable. L'allumeur vainc sa paresse, qui est grande, par respect d'une consigne qui ne répond plus à rien. Mais il est là pour allumer, il allume, et il allumera jusqu'au bout. C'est sa manière à lui de jeter des ponts entre les hommes. Il accomplit sa tâche comme les aviateurs de *Terre des hommes* lançaient des passerelles d'un continent à l'autre, comme le pilote de guerre allait reconnaître Arras, bravant la mort tout en sachant la futilité de sa mission.

Dans les énigmes de ce monde, pour trouver le sens de la vie, c'est à la lumière du cœur qu'il faut s'éclairer: "On ne voit bien qu'avec le cœur. L'essentiel est invisible pour les yeux." (*Le Petit Prince*, page 47.) C'est le secret révélé par le renard au petit prince qui saura le redire à l'aviateur: "Il faut chercher avec le cœur" (page 53).

Tendresse et bonté, le royaume du cœur; ni Gulliver ni Micro-mégas ne semblent l'avoir soupçonné dans leurs voyages; mais le petit prince en connaît les mirages et les eaux vives, les sources mystérieuses et les trésors cachés.

Et lorsque la mort arrive, qu'est-elle? L'abandon accepté d'une dépouille, d'une écorce trop lourde, l'ascension vers une étoile, vers un amour et un devoir, la survivance du meilleur de l'être, de l'essentiel. Toujours près de ceux qu'elle aime, l'âme participe à leur existence; le corps a disparu, l'union des cœurs lui survit.

La vie, la mort, peuvent avoir des significations bien diffé-rentes. Comme ce que nous appelons grand ou petit. Qu'est-ce qui est grand? qu'est-ce qui ne l'est pas? Un volcan nous paraît grand, mais chez le petit prince, les volcans se ramonent comme des cheminées et l'un d'eux sert à préparer le petit déjeuner. Nous mesurons le temps par l'apparent tour du soleil de son lever à son coucher, mais un changement de vitesse dans la marche des astres bouleverserait toutes nos idées acquises. Le petit prince dans son astéroïde n'a qu'à déplacer sa chaise pour contempler quarante-quatre couchers de soleil et le pauvre allumeur de réverbères en voit mille quatre cent quarante par vingt-quatre heures. Tout est relatif et le vertige nous prend. "Le silence éternel de ces espaces infinis" nous enveloppe. Pascal semble un bien grave compagnon de voyage pour notre petit prince, mais ils ont, l'un comme l'autre, le sens de l'infini qui nous fait perdre à nous le sentiment de notre importance.

Satire et fantaisie, philosophie et poésie, science et imagination, méditation et gaieté enfantine étincellent sur la trame du *Petit Prince* comme les mille couleurs sur l'aile rapide du colibri. Nous pensions à Pascal il n'y a qu'un instant, nous voici maintenant avec les petits. Pour eux, un dessin vit comme un être, un mouton imaginaire, dans une caisse crayonnée en quelques traits, peut très bien manger un baobab, un petit baobab, qui n'a pas encore grandi. Mais voici bien du tourment: l'aviateur n'a certes pas oublié de dessiner une muselière, mais il a omis la courroie de cuir pour l'attacher. Le mouton, qui mange les baobabs, mangera-t-il aussi la rose du petit prince? Ou sera-t-elle protégée chaque nuit par son globe? Grave question, à laquelle Saint-Exupéry n'a pas répondu et qui change pour lui l'aspect des étoiles. Le petit prince commettra-t-il une négligence? Ou sera-t-il toujours attentif? Qu'en pensez-vous?

I

Lorsque j'avais six ans j'ai vu, une fois, une magnifique image, dans un livre sur la Forêt Vierge qui s'appelait "Histoires Vécues." Ça représentait un serpent boa qui avalait un fauve. Voilà la copie du dessin.

On disait dans le livre: "Les serpents boas avalent leur proie tout entière, sans la mâcher. Ensuite ils ne peuvent plus bouger et ils dorment pendant les six mois de leur digestion."

J'ai alors beaucoup réfléchi sur les aventures de la jungle et, à mon tour, j'ai réussi, avec un crayon de couleur, à tracer mon premier dessin. Mon dessin numéro 1. Il était comme ça:

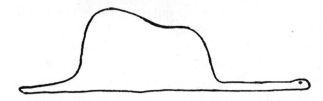

J'ai montré mon chef-d'œuvre aux grandes personnes et je leur ai demandé si mon dessin leur faisait peur.

Elles m'ont répondu: "Pourquoi un chapeau ferait-il peur?"

Mon dessin ne représentait pas un chapeau. Il représentait un serpent boa qui digérait un éléphant. J'ai alors dessiné l'inté-

1

rieur du serpent boa, afin que les grandes personnes puissent comprendre. Elles ont toujours besoin d'explications. Mon dessin numéro 2 était comme ça:

Les grandes personnes m'ont conseillé de laisser de côté les dessins de serpents boas ouverts ou fermés, et de m'intéresser plutôt à la géographie, à l'histoire, au calcul et à la grammaire. C'est ainsi que j'ai abandonné, à l'âge de six ans, une magnifique carrière de peintre. J'avais été découragé par l'insuccès de mon dessin numéro 1 et de mon dessin numéro 2. Les grandes personnes ne comprennent jamais rien toutes seules, et c'est fatigant, pour les enfants, de toujours et toujours leur donner des explications.

J'ai donc dû choisir un autre métier et j'ai appris à piloter des avions. J'ai volé un peu partout dans le monde. Et la géographie, c'est exact, m'a beaucoup servi. Je savais reconnaître, du premier coup d'œil, la Chine de l'Arizona. C'est très utile, si l'on s'est égaré pendant la nuit.

J'ai ainsi eu, au cours de ma vie, des tas de contacts avec des tas de gens sérieux. J'ai beaucoup vécu chez les grandes personnes. Je les ai vues de très près. Ça n'a pas trop amélioré mon opinion.

Quand j'en rencontrais une qui me paraissait un peu lucide, je faisais l'expérience sur elle de mon dessin numéro 1 que j'ai toujours conservé. Je voulais savoir si elle était vraiment compréhensive. Mais toujours elle me répondait: "C'est un chapeau." Alors je ne lui parlais ni de serpents boas, ni de forêts vierges, ni d'étoiles. Je me mettais à sa portée. Je lui parlais de bridge, de golf, de politique et de cravates. Et la grande personne était bien contente de connaître un homme aussi raisonnable.

2

## II

J'ai ainsi vécu seul, sans personne avec qui parler véritablement, jusqu'à une panne dans le désert du Sahara, il y a six ans. Quelque chose s'était cassé dans mon moteur. Et comme je n'avais avec moi ni mécanicien, ni passagers, je me préparais à essayer de réussir, tout seul, une réparation difficile. C'était pour moi une question de vie ou de mort. J'avais à peine de l'eau à boire pour huit jours.

Le premier soir je me suis donc endormi sur le sable à mille milles de toute terre habitée. J'étais bien plus isolé qu'un naufragé sur un radeau au milieu de l'océan. Alors vous imaginez ma surprise, au lever du jour, quand une drôle de petite voix m'a réveillé. Elle disait:

— S'il vous plaît . . . dessine-moi un mouton!

— Hein!

— Dessine-moi un mouton . . .

J'ai sauté sur mes pieds comme si j'avais été frappé par la foudre. J'ai bien frotté mes yeux. J'ai bien regardé. Et j'ai vu un petit bonhomme tout à fait extraordinaire qui me considérait gravement. Voilà le meilleur portrait que, plus tard, j'ai réussi à faire de lui. Mais mon dessin, bien sûr, est beaucoup moins ravissant que le modèle. Ce n'est pas ma faute. J'avais été découragé dans ma carrière de peintre par les grandes personnes, à l'âge de six ans, et je n'avais rien appris à dessiner, sauf les boas fermés et les boas ouverts.

Je regardais donc cette apparition avec des yeux tout ronds d'étonnement. N'oubliez pas que je me trouvais à mille milles de toute région habitée. Or mon petit bonhomme ne me semblait ni égaré, ni mort de fatigue, ni mort de faim, ni mort de soif, ni mort de peur. Il n'avait en rien l'apparence d'un enfant perdu au milieu du désert, à mille milles de toute région habitée. Quand je réussis enfin à parler, je lui dis:

— Mais . . . qu'est-ce que tu fais là?

Et il me répéta alors, tout doucement, comme une chose très sérieuse:

— S'il vous plaît . . . dessine-moi un mouton . . .

3

Voilà le meilleur portrait que, plus tard, j'ai réussi à faire de lui.

Quand le mystère est trop impressionnant, on n'ose pas désobéir. Aussi absurde que cela me semblât à mille milles de tous les endroits habités et en danger de mort, je sortis de ma poche une feuille de papier et un stylographe. Mais je me rappelai alors que j'avais surtout étudié la géographie, l'histoire, le calcul et la grammaire et je dis au petit bonhomme (avec un peu de mauvaise humeur) que je ne savais pas dessiner. Il me répondit:

— Ça ne fait rien. Dessine-moi un mouton.

Comme je n'avais jamais dessiné un mouton je refis, pour lui, l'un des seuls dessins dont j'étais capable. Celui du boa fermé. Et je fus stupéfait d'entendre le petit bonhomme me répondre:

— Non! Non! Je ne veux pas d'un éléphant dans un boa. Un boa c'est très dangereux, et un éléphant c'est très encombrant. Chez moi c'est tout petit. J'ai besoin d'un mouton. Dessine-moi un mouton.

Alors j'ai dessiné:

Il regarda attentivement, puis:

— Non! Celui-là est déjà très malade. Fais-en un autre.

Je dessinai:

Mon ami sourit gentiment, avec indulgence:

— Tu vois bien . . . ce n'est pas un mouton, c'est un bélier. Il a des cornes . . .

Je refis donc encore mon dessin:

Mais il fut refusé, comme les précédents:

— Celui-là est trop vieux. Je veux un mouton qui vive longtemps.

5

Alors, faute de patience, comme j'avais hâte de commencer le démontage de mon moteur, je griffonnai ce dessin-ci:

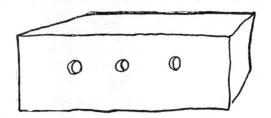

Et je lançai:

— Ça c'est la caisse. Le mouton que tu veux est dedans.

Mais je fus bien surpris de voir s'illuminer le visage de mon jeune juge:

— C'est tout à fait comme ça que je le voulais! Crois-tu qu'il faille beaucoup d'herbe à ce mouton?

— Pourquoi?

— Parce que chez moi c'est tout petit . . .

— Ça suffira sûrement. Je t'ai donné un tout petit mouton.

Il pencha la tête vers le dessin:

— Pas si petit que ça . . . Tiens! Il s'est endormi . . .

Et c'est ainsi que je fis la connaissance du petit prince.


III


Il me fallut longtemps pour comprendre d'où il venait. Le petit prince, qui me posait beaucoup de questions, ne semblait jamais entendre les miennes. Ce sont des mots prononcés par hasard qui, peu à peu, m'ont tout révélé. Ainsi, quand il aperçut pour la première fois mon avion (je ne dessinerai pas mon avion, c'est un dessin beaucoup trop compliqué pour moi) il me demanda:

— Qu'est-ce que c'est que cette chose-là?

— Ce n'est pas une chose. Ça vole. C'est un avion. C'est mon avion.

Et j'étais fier de lui apprendre que je volais. Alors il s'écria:

— Comment! tu es tombé du ciel!

— Oui, fis-je modestement.

— Ah! ça c'est drôle! ...

Et le petit prince eut un très joli éclat de rire qui m'irrita beaucoup. Je désire que l'on prenne mes malheurs au sérieux. Puis il ajouta:

— Alors, toi aussi tu viens du ciel! De quelle planète es-tu?

J'entrevis aussitôt une lueur, dans le mystère de sa présence, et j'interrogeai brusquement:

— Tu viens donc d'une autre planète?

Mais il ne me répondit pas. Il hochait la tête doucement tout en regardant mon avion:

— C'est vrai que, là-dessus, tu ne peux pas venir de bien loin ...

Et il s'enfonça dans une rêverie qui dura longtemps. Puis, sortant mon mouton de sa poche, il se plongea dans la contemplation de son trésor.

Vous imaginez combien j'avais pu être intrigué par cette demi-confidence sur "les autres planètes." Je m'efforçai donc d'en savoir plus long:

— D'où viens-tu mon petit bonhomme? Où est-ce "chez toi"? Où veux-tu emporter mon mouton?

Il me répondit après un silence méditatif:

— Ce qui est bien, avec la caisse que tu m'as donnée, c'est que, la nuit, ça lui servira de maison.

— Bien sûr. Et si tu es gentil, je te donnerai aussi une corde pour l'attacher pendant le jour. Et un piquet.

La proposition parut choquer le petit prince:

— L'attacher? Quelle drôle d'idée!

— Mais si tu ne l'attaches pas il ira n'importe où, et il se perdra.

Et mon ami eut un nouvel éclat de rire:

— Mais où veux-tu qu'il aille!

— N'importe où. Droit devant lui ...

Alors le petit prince remarqua gravement:

— Ça ne fait rien, c'est tellement petit, chez moi!

Et, avec un peu de mélancolie, peut-être, il ajouta:

— Droit devant soi on ne peut pas aller bien loin ...

7

Le petit prince sur l'astéroïde B 612.

## IV

J'avais ainsi appris une seconde chose très importante: C'est que sa planète d'origine était à peine plus grande qu'une maison!

Ça ne pouvait pas m'étonner beaucoup. Je savais bien qu'en dehors des grosses planètes comme la Terre, Jupiter, Mars, Vénus, auxquelles on a donné des noms, il y en a des centaines d'autres qui sont quelquefois si petites qu'on a beaucoup de mal à les apercevoir au téléscope. Quand un astronome découvre l'une d'elles, il lui donne pour nom un numéro. Il l'appelle par exemple: "l'astéroïde 325."

J'ai de sérieuses raisons de croire que la planète d'où venait le petit prince est l'astéroïde B 612. Cet astéroïde n'a été aperçu qu'une fois au téléscope, en 1909, par un astronome turc.

Il avait fait alors une grande démonstration de sa découverte à un Congrès International d'Astronomie. Mais personne ne l'avait cru à cause de son costume. Les grandes personnes sont comme ça.

Heureusement pour la réputation de l'astéroïde B 612 un dictateur turc imposa à son peuple, sous peine de mort, de s'habiller à l'européenne. L'astronome refit sa démonstration en

1920, dans un habit très élégant. Et cette fois-ci tout le monde fut de son avis.

Si je vous ai raconté ces détails sur l'astéroïde B 612 et si je vous ai confié son numéro, c'est à cause des grandes personnes. Les grandes personnes aiment les chiffres. Quand vous leur parlez d'un nouvel ami, elles ne vous questionnent jamais sur l'essentiel. Elles ne vous disent jamais: "Quel est le son de sa voix? Quels sont les jeux qu'il préfère? Est-ce qu'il collectionne les papillons?" Elles vous demandent: "Quel âge a-t-il? Combien a-t-il de frères? Combien pèse-t-il? Combien gagne son père?" Alors seulement elles croient le connaître. Si vous dites aux grandes personnes: "J'ai vu une belle maison en briques roses, avec des géraniums aux fenêtres et des colombes sur le toit . . ." elles ne parviennent pas à s'imaginer cette maison. Il faut leur dire: "J'ai vu une maison de cent mille francs." Alors elles s'écrient: "Comme c'est joli!"

Ainsi, si vous leur dites, "La preuve que le petit prince a existé c'est qu'il était ravissant, qu'il riait, et qu'il voulait un mouton. Quand on veut un mouton, c'est la preuve qu'on existe," elles hausseront les épaules et vous traiteront d'enfant! Mais si vous leur dites, "La planète d'où il venait est l'astéroïde B 612" alors elles seront convaincues, et elles vous laisseront tranquille avec leurs questions. Elles sont comme ça. Il ne faut pas leur en vouloir. Les enfants doivent être très indulgents envers les grandes personnes.

Mais, bien sûr, nous qui comprenons la vie, nous nous moquons bien des numéros! J'aurais aimé commencer cette histoire à la façon des contes de fées. J'aurais aimé dire:

"Il était une fois un petit prince qui habitait une planète à peine plus grande que lui, et qui avait besoin d'un ami..." Pour ceux qui comprennent la vie, ça aurait eu l'air beaucoup plus vrai.

Car je n'aime pas qu'on lise mon livre à la légère. J'éprouve tant de chagrin à raconter ces souvenirs. Il y a six ans déjà que mon ami s'en est allé avec son mouton. Si j'essaie ici de le dé-crire, c'est afin de ne pas l'oublier. C'est triste d'oublier un ami. Tout le monde n'a pas eu un ami. Et je puis devenir comme les grandes personnes qui ne s'intéressent plus qu'aux chiffres. C'est donc pour ça encore que j'ai acheté une boîte de couleurs et de crayons. C'est dur de se remettre au dessin, à mon âge, quand on n'a jamais fait d'autres tentatives que celle d'un boa fermé et celle d'un boa ouvert, à l'âge de six ans! J'essaierai, bien sûr, de faire des portraits le plus ressemblants possible. Mais je ne suis pas tout à fait certain de réussir. Un dessin va, et l'autre ne ressemble plus. Je me trompe un peu aussi sur la taille. Ici le petit prince est trop grand. Là il est trop petit. J'hésite aussi sur la couleur de son costume. Alors je tâtonne comme ci et comme ça, tant bien que mal. Je me tromperai enfin sur certains détails plus importants. Mais ça, il faudra me le pardonner. Mon ami ne donnait jamais d'explications. Il me croyait peut-être semblable à lui. Mais moi, malheureuse-ment, je ne sais pas voir les moutons à travers les caisses. Je suis peut-être un peu comme les grandes personnes. J'ai dû vieillir.

## V

Chaque jour j'apprenais quelque chose sur la planète, sur le départ, sur le voyage. Ça venait tout doucement, au hasard des réflexions. C'est ainsi que, le troisième jour, je connus le drame des baobabs.

Cette fois-ci encore ce fut grâce au mouton, car brusquement le petit prince m'interrogea, comme pris d'un doute grave:

— C'est bien vrai, n'est-ce pas, que les moutons mangent les arbustes?

— Oui. C'est vrai.

— Ah! Je suis content!

Je ne compris pas pourquoi il était si important que les moutons mangeassent les arbustes. Mais le petit prince ajouta:

— Par conséquent ils mangent aussi les baobabs?

Je fis remarquer au petit prince que les baobabs ne sont pas des arbustes, mais des arbres grands comme des églises et que, si même il emportait avec lui tout un troupeau d'éléphants, ce troupeau ne viendrait pas à bout d'un seul baobab.

L'idée du troupeau d'éléphants fit rire le petit prince:

— Il faudrait les mettre les uns sur les autres . . .

Mais il remarqua avec sagesse:

— Les baobabs, avant de grandir, ça commence par être petit.

— C'est exact! Mais pourquoi veux-tu que tes moutons mangent les petits baobabs?

Il me répondit: "Ben! Voyons!" comme s'il s'agissait là d'une évidence. Et il me fallut un grand effort d'intelligence pour comprendre à moi seul ce problème.

Et en effet, sur la planète du petit prince, il y avait, comme sur toutes les planètes, de bonnes herbes et de mauvaises herbes. Par conséquent de bonnes graines de bonnes herbes et de mauvaises graines de mauvaises herbes. Mais les graines sont invisibles. Elles dorment dans le secret de la terre jusqu'à ce qu'il prenne fantaisie à l'une d'elles de se réveiller. Alors elle s'étire, et pousse d'abord timidement vers le soleil une ravissante petite brindille inoffensive. S'il s'agit d'une brindille de radis ou de rosier, on peut la laisser pousser comme elle veut. Mais s'il s'agit d'une mauvaise plante, il faut arracher la plante aussitôt, dès qu'on a su la reconnaître. Or il y avait des graines terribles sur la planète du petit prince . . . c'étaient les graines de baobabs. Le sol de la planète en était infesté. Or un baobab, si l'on s'y prend trop tard, on ne peut jamais plus s'en débarrasser. Il encombre toute la planète. Il la perfore de ses racines. Et si la planète est trop petite, et si les baobabs sont trop nombreux, ils la font éclater.

"C'est une question de discipline, me disait plus tard le petit prince. Quand on a terminé sa toilette du matin, il faut faire soigneusement la toilette de la planète. Il faut s'astreindre régulièrement à arracher les baobabs dès qu'on les distingue

12

Les Baobabs

d'avec les rosiers auxquels ils ressemblent beaucoup quand ils sont très jeunes. C'est un travail très ennuyeux, mais très facile."

Et un jour il me conseilla de m'appliquer à réussir un beau dessin, pour bien faire entrer ça dans la tête des enfants de chez moi. "S'ils voyagent un jour, me disait-il, ça pourra leur servir. Il est quelquefois sans inconvénient de remettre à plus tard son travail. Mais, s'il s'agit des baobabs, c'est toujours une catastrophe. J'ai connu une planète, habitée par un paresseux. Il avait négligé trois arbustes . . ."

Et, sur les indications du petit prince, j'ai dessiné cette planète-là. Je n'aime guère prendre le ton d'un moraliste. Mais le danger des baobabs est si peu connu, et les risques courus par celui qui s'égarerait dans un astéroïde sont si considérables, que, pour une fois, je fais exception à ma réserve. Je dis: "Enfants! Faites attention aux baobabs!" C'est pour avertir mes amis d'un danger qu'ils frôlaient depuis longtemps, comme moi-même, sans le connaître, que j'ai tant travaillé ce dessin-là. La leçon que je donnais en valait la peine. Vous vous demanderez peut-être: Pourquoi n'y a-t-il pas, dans ce livre, d'autres dessins aussi grandioses que le dessin des baobabs? La réponse est bien simple: J'ai essayé mais je n'ai pas pu réussir. Quand j'ai dessiné les baobabs j'ai été animé par le sentiment de l'urgence.

## VI

Ah! petit prince, j'ai compris, peu à peu, ainsi, ta petite vie mélancolique. Tu n'avais eu longtemps pour distraction que la douceur des couchers de soleil. J'ai appris ce détail nouveau, le quatrième jour au matin, quand tu m'as dit:

— J'aime bien les couchers de soleil. Allons voir un coucher de soleil . . .

— Mais il faut attendre . . .

— Attendre quoi?

— Attendre que le soleil se couche.

Tu as eu l'air très surpris d'abord, et puis tu as ri de toi-même. Et tu m'as dit:

— Je me crois toujours chez moi!

En effet. Quand il est midi aux Etats-Unis, le soleil, tout le monde le sait, se couche sur la France. Il suffirait de pouvoir aller en France en une minute pour assister au coucher du soleil. Malheureusement la France est bien trop éloignée. Mais, sur ta si petite planète, il te suffisait de tirer ta chaise de quelques pas. Et tu regardais le crépuscule chaque fois que tu le désirais ...

— Un jour, j'ai vu le soleil se coucher quarante-quatre fois!

Et un peu plus tard tu ajoutais:

— Tu sais ... quand on est tellement triste on aime les couchers de soleil ...

— Le jour des quarante-quatre fois tu étais donc tellement triste?

Mais le petit prince ne répondit pas.


# VII

Le cinquième jour, toujours grâce au mouton, ce secret de la vie du petit prince me fut révélé. Il me demanda avec brusquerie, sans préambule, comme le fruit d'un problème longtemps médité en silence:

— Un mouton, s'il mange les arbustes, il mange aussi les fleurs?

— Un mouton mange tout ce qu'il rencontre.

— Même les fleurs qui ont des épines?

— Oui. Même les fleurs qui ont des épines.

— Alors les épines, à quoi servent-elles?

Je ne le savais pas. J'étais alors très occupé à essayer de dévisser un boulon trop serré de mon moteur. J'étais très soucieux car ma panne commençait de m'apparaître comme très grave, et l'eau à boire qui s'épuisait me faisait craindre le pire.

— Les épines, à quoi servent-elles?

Le petit prince ne renonçait jamais à une question, une fois qu'il l'avait posée. J'étais irrité par mon boulon et je répondis n'importe quoi:

— Les épines, ça ne sert à rien, c'est de la pure méchanceté de la part des fleurs!

15

— Oh!

Mais après un silence il me lança, avec une sorte de rancune:

— Je ne te crois pas! Les fleurs sont faibles. Elles sont naïves. Elles se rassurent comme elles peuvent. Elles se croient terribles avec leurs épines . . .

Je ne répondis rien. A cet instant-là je me disais: "Si ce boulon résiste encore, je le ferai sauter d'un coup de marteau." Le petit prince dérangea de nouveau mes réflexions:

— Et tu crois, toi, que les fleurs . . .

— Mais non! Mais non! Je ne crois rien! J'ai répondu n'importe quoi. Je m'occupe, moi, de choses sérieuses!

Il me regarda stupéfait.

— De choses sérieuses!

Il me voyait, mon marteau à la main, et les doigts noirs de cambouis, penché sur un objet qui lui semblait très laid.

— Tu parles comme les grandes personnes!

Ça me fit un peu honte. Mais, impitoyable, il ajouta:

— Tu confonds tout . . . tu mélanges tout!

Il était vraiment très irrité. Il secouait au vent des cheveux tout dorés:

— Je connais une planète où il y a un Monsieur cramoisi. Il n'a jamais respiré une fleur. Il n'a jamais regardé une étoile. Il n'a jamais aimé personne. Il n'a jamais rien fait d'autre que des additions. Et toute la journée il répète comme toi: "Je suis un homme sérieux! Je suis un homme sérieux!" et ça le fait gonfler d'orgueil. Mais ce n'est pas un homme, c'est un champignon!

— Un quoi?

— Un champignon!

Le petit prince était maintenant tout pâle de colère.

— Il y a des millions d'années que les fleurs fabriquent des épines. Il y a des millions d'années que les moutons mangent quand même les fleurs. Et ce n'est pas sérieux de chercher à comprendre pourquoi elles se donnent tant de mal pour se fabriquer des épines qui ne servent jamais à rien? Ce n'est pas important la guerre des moutons et des fleurs? Ce n'est pas plus sérieux et plus important que les additions d'un gros Monsieur rouge? Et si je connais, moi, une fleur unique au monde, qui n'existe nulle part, sauf dans ma planète, et qu'un petit mouton

16

peut anéantir d'un seul coup, comme ça, un matin, sans se rendre compte de ce qu'il fait, ce n'est pas important ça!

Il rougit, puis reprit:

— Si quelqu'un aime une fleur qui n'existe qu'à un exemplaire dans les millions et les millions d'étoiles, ça suffit pour qu'il soit heureux quand il les regarde. Il se dit: "Ma fleur est là quelque part . . ." Mais si le mouton mange la fleur, c'est pour lui comme si, brusquement, toutes les étoiles s'éteignaient! Et ce n'est pas important ça!

Il ne put rien dire de plus. Il éclata brusquement en sanglots. La nuit était tombée. J'avais lâché mes outils. Je me moquais bien de mon marteau, de mon boulon, de la soif et de la mort. Il y avait, sur une étoile, une planète, la mienne, la Terre, un petit prince à consoler! Je le pris dans les bras. Je le berçais. Je lui disais: "La fleur que tu aimes n'est pas en danger . . . Je lui dessinerai une muselière, à ton mouton . . . Je dessinerai une armure pour ta fleur . . . Je . . ." Je ne savais pas trop quoi dire. Je me sentais très maladroit. Je ne savais comment l'atteindre, où le rejoindre . . . C'est tellement mystérieux, le pays des larmes.

VIII

J'appris bien vite à mieux connaître cette fleur. Il y avait toujours eu, sur la planète du petit prince, des fleurs très simples, ornées d'un seul rang de pétales, et qui ne tenaient point de place, et qui ne dérangeaient personne. Elles apparaissaient un matin dans l'herbe, et puis elles s'éteignaient le soir. Mais celle-là avait germé un jour, d'une graine apportée d'on ne sait où, et le petit prince avait surveillé de très près cette brindille qui ne ressemblait pas aux autres brindilles. Ça pouvait être un nouveau genre de baobab. Mais l'arbuste cessa vite de croître, et commença de préparer une fleur. Le petit prince, qui assistait à l'installation d'un bouton énorme, sentait bien qu'il en sortirait une apparition miraculeuse, mais la fleur n'en finissait pas de se préparer à être belle, à l'abri de sa chambre verte. Elle choisissait avec soin ses couleurs. Elle s'habillait lentement, elle ajus-

17

tait un à un ses pétales. Elle ne voulait pas sortir toute fripée comme les coquelicots. Elle ne voulait apparaître que dans le plein rayonnement de sa beauté. Eh! oui. Elle était très coquette! Sa toilette mystérieuse avait donc duré des jours et des jours. Et puis voici qu'un matin, justement à l'heure du lever du soleil, elle s'était montrée.

Et elle, qui avait travaillé avec tant de précision, dit en bâillant:

— Ah! je me réveille à peine ... Je vous demande pardon ... Je suis encore toute décoiffée ...

Le petit prince, alors, ne put contenir son admiration:

— Que vous êtes belle!

— N'est-ce pas, répondit doucement la fleur. Et je suis née en même temps que le soleil ...

Le petit prince devina bien qu'elle n'était pas trop modeste, mais elle était si émouvante!

— C'est l'heure, je crois, du petit déjeuner, avait-elle bientôt ajouté, auriez-vous la bonté de penser à moi ...

Et le petit prince, tout confus, ayant été chercher un arrosoir d'eau fraîche, avait servi la fleur.

Ainsi l'avait-elle bien vite tourmenté par sa vanité un peu ombrageuse. Un jour, par exemple, parlant de ses quatre épines, elle avait dit au petit prince:

— Ils peuvent venir, les tigres, avec leurs griffes!

— Il n'y a pas de tigres sur ma planète, avait objecté le petit prince, et puis les tigres ne mangent pas l'herbe.

— Je ne suis pas une herbe, avait doucement répondu la fleur.

— Pardonnez-moi . . .

— Je ne crains rien des tigres, mais j'ai horreur des courants d'air. Vous n'auriez pas un paravent?

"Horreur des courants d'air . . . ce n'est pas de chance, pour une plante, avait remarqué le petit prince. Cette fleur est bien compliquée . . ."

— Le soir vous me mettrez sous globe. Il fait très froid chez vous. C'est mal installé. Là d'où je viens . . .

Mais elle s'était interrompue. Elle était venue sous forme de graine. Elle n'avait rien pu connaître des autres mondes. Humiliée de s'être laissée surprendre à préparer un mensonge aussi naïf, elle avait toussé deux ou trois fois, pour mettre le petit prince dans son tort:

— Ce paravent? . . .

— J'allais le chercher mais vous me parliez!

Alors elle avait forcé sa toux pour lui infliger quand même des remords.

19

Ainsi le petit prince, malgré la bonne volonté de son amour, avait vite douté d'elle. Il avait pris au sérieux des mots sans importance, et était devenu très malheureux.

"J'aurais dû ne pas l'écouter, me confia-t-il un jour, il ne faut jamais écouter les fleurs. Il faut les regarder et les respirer. La mienne embaumait ma planète, mais je ne savais pas m'en réjouir. Cette histoire de griffes, qui m'avait tellement agacé, eût dû m'attendrir . . ."

Il me confia encore:

"Je n'ai alors rien su comprendre! J'aurais dû la juger sur les actes et non sur les mots. Elle m'embaumait et m'éclairait. Je n'aurais jamais dû m'enfuir! J'aurais dû deviner sa tendresse derrière ses pauvres ruses. Les fleurs sont si contradictoires! Mais j'étais trop jeune pour savoir l'aimer."

## IX

Je crois qu'il profita, pour son évasion, d'une migration d'oiseaux sauvages. Au matin du départ il mit sa planète bien en ordre. Il ramona soigneusement ses volcans en activité. Il pos-

Il ramona soigneusement ses volcans en activité.

sédait deux volcans en activité. Et c'était bien commode pour faire chauffer le petit déjeuner du matin. Il possédait aussi un volcan éteint. Mais, comme il disait: "On ne sait jamais!" Il ramona donc également le volcan éteint. S'ils sont bien ramonés, les volcans brûlent doucement et régulièrement, sans éruptions. Les éruptions volcaniques sont comme des feux de cheminée. Evidemment sur notre terre nous sommes beaucoup trop petits pour ramoner nos volcans. C'est pourquoi ils nous causent des tas d'ennuis.

Le petit prince arracha aussi, avec un peu de mélancolie, les dernières pousses de baobabs. Il croyait ne jamais devoir revenir. Mais tous ces travaux familiers lui parurent, ce matin-là, extrêmement doux. Et, quand il arrosa une dernière fois la fleur, et se prépara à la mettre à l'abri sous son globe, il se découvrit l'envie de pleurer.

— Adieu, dit-il à la fleur.

Mais elle ne lui répondit pas.

— Adieu, répéta-t-il.

La fleur toussa. Mais ce n'était pas à cause de son rhume.

—J'ai été sotte, lui dit-elle enfin. Je te demande pardon. Tâche d'être heureux.

Il fut surpris par l'absence de reproches. Il restait là tout déconcerté, le globe en l'air. Il ne comprenait pas cette douceur calme.

— Mais oui, je t'aime, lui dit la fleur. Tu n'en as rien su, par ma faute. Cela n'a aucune importance. Mais tu as été aussi sot que moi. Tâche d'être heureux . . . Laisse ce globe tranquille. Je n'en veux plus.

— Mais le vent . . .

—Je ne suis pas si enrhumée que ça . . . L'air frais de la nuit me fera du bien. Je suis une fleur.

— Mais les bêtes . . .

— Il faut bien que je supporte deux ou trois chenilles si je veux connaître les papillons. Il paraît que c'est tellement beau. Sinon qui me rendra visite? Tu seras loin, toi. Quant aux grosses bêtes, je ne crains rien. J'ai mes griffes.

Et elle montrait naïvement ses quatre épines. Puis elle ajouta:

— Ne traîne pas comme ça, c'est agaçant. Tu as décidé de partir. Va-t'en.

Car elle ne voulait pas qu'il la vît pleurer. C'était une fleur tellement orgueilleuse . . .


## X

Il se trouvait dans la région des astéroïdes 325, 326, 327, 328, 329 et 330. Il commença donc par les visiter pour y chercher une occupation et pour s'instruire.

Le premier était habité par **un roi**. Le roi siégeait, habillé

de pourpre et d'hermine, sur un trône très simple et cependant majestueux.

— Ah! Voilà un sujet, s'écria le roi quand il aperçut le petit prince。

Et le petit prince se demanda:

— Comment peut-il me reconnaître puisqu'il ne m'a encore jamais vu!

Il ne savait pas que, pour les rois, le monde est très simplifié. Tous les hommes sont des sujets.

— Approche-toi que je te voie mieux, lui dit le roi qui était tout fier d'être enfin roi pour quelqu'un.

Le petit prince chercha des yeux où s'asseoir, mais la planète était toute encombrée par le magnifique manteau d'hermine. Il resta donc debout, et, comme il était fatigué, il bâilla.

— Il est contraire à l'étiquette de bâiller en présence d'un roi, lui dit le monarque. Je te l'interdis.

— Je ne peux pas m'en empêcher, répondit le petit prince tout confus. J'ai fait un long voyage et je n'ai pas dormi . . .

— Alors, lui dit le roi, je t'ordonne de bâiller. Je n'ai vu personne bâiller depuis des années. Les bâillements sont pour moi des curiosités. Allons! bâille encore. C'est un ordre.

— Ça m'intimide . . . je ne peux plus . . . fit le petit prince tout rougissant.

— Hum! Hum! répondit le roi. Alors je . . . je t'ordonne tantôt de bâiller et tantôt de . . .

Il bredouillait un peu et paraissait vexé.

Car le roi tenait essentiellement à ce que son autorité fût respectée. Il ne tolérait pas la désobéissance. C'était un monarque absolu. Mais, comme il était très bon, il donnait des ordres raisonnables.

"Si j'ordonnais, disait-il couramment, si j'ordonnais à un général de se changer en oiseau de mer, et si le général n'obéissait pas, ce ne serait pas la faute du général. Ce serait ma faute."

— Puis-je m'asseoir? s'enquit timidement le petit prince.

— Je t'ordonne de t'asseoir, lui répondit le roi, qui ramena majestueusement un pan de son manteau d'hermine.

Mais le petit prince s'étonnait. La planète était minuscule. Sur quoi le roi pouvait-il bien régner?

— Sire, lui dit-il . . . je vous demande pardon de vous interroger . . .

— Je t'ordonne de m'interroger, se hâta de dire le roi.

— Sire . . . sur quoi régnez-vous?

— Sur tout, répondit le roi, avec une grande simplicité.

— Sur tout?

Le roi d'un geste discret désigna sa planète, les autres planètes et les étoiles.

— Sur tout ça? dit le petit prince.

— Sur tout ça . . . répondit le roi.

Car non seulement c'était un monarque absolu mais c'était un monarque universel.

— Et les étoiles vous obéissent?

— Bien sûr, lui dit le roi. Elles obéissent aussitôt. Je ne tolère pas l'indiscipline.

Un tel pouvoir émerveilla le petit prince. S'il l'avait détenu lui-même, il aurait pu assister, non pas à quarante-quatre, mais à soixante-douze, ou même à cent, ou même à deux cents couchers de soleil dans la même journée, sans avoir jamais à tirer sa chaise! Et comme il se sentait un peu triste à cause du souvenir de sa petite planète abandonnée, il s'enhardit à solliciter une grâce du roi:

— Je voudrais voir un coucher de soleil . . . Faites-moi plaisir . . . Ordonnez au soleil de se coucher . . .

— Si j'ordonnais à un général de voler d'une fleur à l'autre à la façon d'un papillon, ou d'écrire une tragédie, ou de se changer en oiseau de mer, et si le général n'exécutait pas l'ordre reçu, qui, de lui ou de moi, serait dans son tort?

— Ce serait vous, dit fermement le petit prince.

— Exact. Il faut exiger de chacun ce que chacun peut donner, reprit le roi. L'autorité repose d'abord sur la raison. Si tu ordonnes à ton peuple d'aller se jeter à la mer, il fera la révolution. J'ai le droit d'exiger l'obéissance parce que mes ordres sont raisonnables.

— Alors mon coucher de soleil? rappela le petit prince qui jamais n'oubliait une question une fois qu'il l'avait posée.

— Ton coucher de soleil, tu l'auras. Je l'exigerai. Mais j'attendrai, dans ma science du gouvernement, que les conditions soient favorables.

— Quand ça sera-t-il? s'informa le petit prince.

— Hem! hem! lui répondit le roi, qui consulta d'abord un gros calendrier, hem! hem! ce sera, vers ... vers ... ce sera ce soir vers sept heures quarante! Et tu verras comme je suis bien obéi.

Le petit prince bâilla. Il regrettait son coucher de soleil manqué. Et puis il s'ennuyait déjà un peu:

— Je n'ai rien à faire ici, dit-il au roi. Je vais repartir!

— Ne pars pas, répondit le roi qui était si fier d'avoir un sujet. Ne pars pas, je te fais ministre!

— Ministre de quoi?

— De ... de la justice!

— Mais il n'y a personne à juger!

— On ne sait pas, lui dit le roi. Je n'ai pas fait encore le tour de mon royaume. Je suis très vieux, je n'ai pas de place pour un carrosse, et ça me fatigue de marcher.

— Oh! Mais j'ai déjà vu, dit le petit prince qui se pencha pour jeter encore un coup d'œil sur l'autre côté de la planète. Il n'y a personne là-bas non plus ...

— Tu te jugeras donc toi-même, lui répondit le roi. C'est le plus difficile. Il est bien plus difficile de se juger soi-même que de juger autrui. Si tu réussis à bien te juger, c'est que tu es un véritable sage.

— Moi, dit le petit prince, je puis me juger moi-même n'importe où. Je n'ai pas besoin d'habiter ici.

Hem! hem! dit le roi, je crois bien que sur ma planète il y a quelque part un vieux rat. Je l'entends la nuit. Tu pourras juger ce vieux rat. Tu le condamneras à mort de temps en temps. Ainsi sa vie dépendra de ta justice. Mais tu le gracieras chaque fois pour l'économiser. Il n'y en a qu'un.

— Moi, répondit le petit prince, je n'aime pas condamner à mort, et je crois bien que je m'en vais.

— Non, dit le roi.

Mais le petit prince, ayant achevé ses préparatifs, ne voulut point peiner le vieux monarque:

— Si votre Majesté désirait être obéie ponctuellement, elle pourrait me donner un ordre raisonnable. Elle pourrait m'ordonner, par exemple, de partir avant une minute. Il me semble que les conditions sont favorables ...

Le roi n'ayant rien répondu, le petit prince hésita d'abord, puis, avec un soupir, prit le départ...

— Je te fais mon ambassadeur, se hâta alors de crier le roi.

Il avait un grand air d'autorité.

Les grandes personnes sont bien étranges se dit le petit prince, en lui-même, durant son voyage.


## XI

La seconde planète était habitée par un vaniteux:

— Ah! Ah! Voilà la visite d'un admirateur! s'écria de loin le vaniteux dès qu'il aperçut le petit prince.

Car, pour les vaniteux, les autres hommes sont des admirateurs.

— Bonjour, dit le petit prince. Vous avez un drôle de chapeau.

— C'est pour saluer, lui répondit le vaniteux. C'est pour saluer quand on m'acclame. Malheureusement il ne passe jamais personne par ici.

— Ah oui? dit le petit prince qui ne comprit pas.

— Frappe tes mains l'une contre l'autre, conseilla donc le vaniteux.

Le petit prince frappa ses mains l'une contre l'autre. Le vaniteux salua modestement en soulevant son chapeau.

— Ça, c'est plus amusant que la visite au roi, se dit en lui-même le petit prince. Et il recommença de frapper ses mains l'une contre l'autre. Le vaniteux recommença de saluer en soulevant son chapeau.

Après cinq minutes d'exercice le petit prince se fatigua de la monotonie du jeu:

— Et, pour que le chapeau tombe, demanda-t-il, que faut-il faire?

Mais le vaniteux ne l'entendit pas. Les vaniteux n'entendent jamais que les louanges.

Est-ce que tu m'admires vraiment beaucoup? demanda-t-il au petit prince.

27

— Qu'est-ce que signifie admirer?

— Admirer signifie reconnaître que je suis l'homme le plus beau, le mieux habillé, le plus riche et le plus intelligent de la planète.

— Mais tu es seul sur ta planète!

— Fais-moi ce plaisir. Admire-moi quand même!

— Je t'admire, dit le petit prince, en haussant un peu les épaules, mais en quoi cela peut-il bien t'intéresser?

Et le petit prince s'en fut.

Les grandes personnes sont décidément bien bizarres, se dit-il simplement en lui-même durant son voyage.

## XII

La planète suivante était habitée par un buveur. Cette visite fut très courte mais elle plongea le petit prince dans une grande mélancolie:

— Que fais-tu là? dit-il au buveur, qu'il trouva installé en silence devant une collection de bouteilles vides et une collection de bouteilles pleines.

— Je bois, répondit le buveur, d'un air lugubre.

— Pourquoi bois-tu? lui demanda le petit prince.

— Pour oublier, répondit le buveur.

— Pour oublier quoi? s'enquit le petit prince qui déjà le plaignait.

— Pour oublier que j'ai honte, avoua le buveur en baissant la tête.

— Honte de quoi? s'informa le petit prince qui désirait le secourir.

— Honte de boire! acheva le buveur qui s'enferma définitivement dans le silence.

Et le petit prince s'en fut, perplexe.

Les grandes personnes sont décidément très bizarres, se disait-il en lui-même durant le voyage.

## XIII

La quatrième planète était celie du businessman. Cet homme était si occupé qu'il ne leva même pas la tête à l'arrivée du petit prince.

— Bonjour, lui dit celui-ci. Votre cigarette est éteinte.

— Trois et deux font cinq. Cinq et sept douze. Douze et trois quinze. Bonjour. Quinze et sept vingt-deux. Vingt-deux et six vingt-huit. Pas le temps de la rallumer. Vingt-six et cinq trente-et-un. Ouf! Ça fait donc cinq-cent-un millions six-cent-vingt-deux-mille sept-cent-trente-et-un.

— Cinq cent millions de quoi?

— Hein? Tu es toujours là? Cinq-cent-un millions de . . . je ne sais plus . . . j'ai tellement de travail! Je suis sérieux, moi, je ne m'amuse pas à des balivernes! Deux et cinq sept . . .

— Cinq-cent-un millions de quoi, répéta le petit prince qui jamais de sa vie, n'avait renoncé à une question, une fois qu'il l'avait posée.

Le businessman leva la tête:

— Depuis cinquante-quatre ans que j'habite cette planète-ci, je n'ai été dérangé que trois fois. La première fois ç'a été, il y a vingt-deux ans, par un hanneton qui était tombé dieu sait d'où. Il répandait un bruit épouvantable, et j'ai fait quatre erreurs dans une addition. La seconde fois ç'a été, il y a onze ans, par une crise de rhumatisme. Je manque d'exercice. Je n'ai pas le temps de flâner. Je suis sérieux, moi. La troisième fois . . . la voici! Je disais donc cinq-cent-un millions . . .

— Millions de quoi?

Le businessman comprit qu'il n'était point d'espoir de paix:

— Millions de ces petites choses que l'on voit quelquefois dans le ciel.

— Des mouches?

— Mais non, des petites choses qui brillent.

— Des abeilles?

— Mais non. Des petites choses dorées qui font rêvasser les fainéants. Mais je suis sérieux, moi! Je n'ai pas le temps de rêvasser.

— Ah! des étoiles?

— C'est bien ça. Des étoiles.

— Et que fais-tu de cinq-cents millions d'étoiles?

— Cinq-cent-un millions six-cent-vingt-deux-mille-sept-cent trente-et-un. Je suis sérieux, moi, je suis précis.

— Et que fais-tu de ces étoiles?

— Ce que j'en fais?

31

— Oui.

— Rien. Je les possède.

— Tu possèdes les étoiles?

— Oui.

— Mais j'ai déjà vu un roi . . .

— Les rois ne possèdent pas. Ils "règnent" sur. C'est très différent.

— Et à quoi cela te sert-il de posséder les étoiles?

— Ça me sert à être riche.

— Et à quoi cela te sert-il d'être riche?

— A acheter d'autres étoiles, si quelqu'un en trouve.

Celui-là se dit en lui-même le petit prince, il raisonne un peu comme mon ivrogne.

Cependant il posa encore des questions:

— Comment peut-on posséder les étoiles?

— A qui sont-elles? riposta, grincheux, le businessman.

— Je ne sais pas. A personne.

— Alors elles sont à moi, car j'y ai pensé le premier.

— Ça suffit?

— Bien sûr. Quand tu trouves un diamant qui n'est à personne, il est à toi. Quand tu trouves une île qui n'est à personne, elle est à toi. Quand tu as une idée le premier, tu la fais breveter: elle est à toi. Et moi je possède les étoiles, puisque jamais personne avant moi n'a songé à les posséder.

— Ça c'est vrai, dit le petit prince. Et qu'en fais-tu?

— Je les gère. Je les compte et je les recompte, dit le businessman. C'est difficile. Mais je suis un homme sérieux!

Le petit prince n'était pas satisfait encore.

— Moi, si je possède un foulard, je puis le mettre autour de mon cou et l'emporter. Moi, si je possède une fleur, je puis cueillir ma fleur et l'emporter. Mais tu ne peux pas cueillir les étoiles!

— Non, mais je puis les placer en banque.

— Qu'est-ce que ça veut dire?

— Ça veut dire que j'écris sur un petit papier le nombre de mes étoiles. Et puis j'enferme à clef ce papier-là dans un tiroir.

— Et c'est tout?

— Ça suffit!

C'est amusant, pensa le petit prince. C'est assez poétique. Mais ce n'est pas très sérieux.

Le petit prince avait sur les choses sérieuses des idées très différentes des idées des grandes personnes.

— Moi, dit-il encore, je possède une fleur que j'arrose tous les jours. Je possède trois volcans que je ramone toutes les semaines. Car je ramone aussi celui qui est éteint. On ne sait jamais. C'est utile à mes volcans, et c'est utile à ma fleur, que je les possède. Mais tu n'es pas utile aux étoiles . . .

Le businessman ouvrit la bouche mais ne trouva rien à répondre, et le petit prince s'en fut.

Les grandes personnes sont décidément tout à fait extraordinaires, se disait-il simplement en lui-même durant le voyage.

## XIV

La cinquième planète était très curieuse. C'était la plus petite de toutes. Il y avait là juste assez de place pour loger un réverbère et un allumeur de réverbères. Le petit prince ne parvenait pas à s'expliquer à quoi pouvaient servir, quelque part dans le ciel, sur une planète sans maison, ni population, un réverbère et un allumeur de réverbères. Cependant il se dit en lui-même:

— Peut-être bien que cet homme est absurde. Cependant il est moins absurde que le roi, que le vaniteux, que le businessman et que le buveur. Au moins son travail a-t-il un sens. Quand il allume son réverbère, c'est comme s'il faisait naître une étoile de plus, ou une fleur. Quand il éteint son réverbère ça endort la fleur ou l'étoile. C'est une occupation très jolie. C'est véritablement utile puisque c'est joli.

Lorsqu'il aborda la planète il salua respectueusement l'allumeur:

— Bonjour. Pourquoi viens-tu d'éteindre ton réverbère?

— C'est la consigne, répondit l'allumeur. Bonjour.

— Qu'est-ce que la consigne?

— C'est d'éteindre mon réverbère. Bonsoir.

Et il le ralluma.

—Je fais là un métier terrible.

— Mais pourquoi viens-tu de le rallumer?

— C'est la consigne, répondit l'allumeur.

— Je ne comprends pas, dit le petit prince.

— Il n'y a rien à comprendre, dit l'allumeur. La consigne c'est la consigne. Bonjour.

Et il éteignit son réverbère.

Puis il s'épongea le front avec un mouchoir à carreaux rouges.

— Je fais là un métier terrible. C'était raisonnable autrefois. J'éteignais le matin et j'allumais le soir. J'avais le reste du jour pour me reposer, et le reste de la nuit pour dormir . . .

— Et, depuis cette époque, la consigne a changé?

— La consigne n'a pas changé, dit l'allumeur. C'est bien là le drame! La planète d'année en année a tourné de plus en plus vite, et la consigne n'a pas changé!

— Alors? dit le petit prince.

— Alors maintenant qu'elle fait un tour par minute, je n'ai plus une seconde de repos. J'allume et j'éteins une fois par minute!

— Ça c'est drôle! Les jours chez toi durent une minute!

— Ce n'est pas drôle du tout, dit l'allumeur. Ça fait déjà un mois que nous parlons ensemble.

— Un mois?

— Oui. Trente minutes. Trente jours! Bonsoir.

Et il ralluma son réverbère.

Le petit prince le regarda et il aima cet allumeur qui était tellement fidèle à la consigne. Il se souvint des couchers de soleil que lui-même allait autrefois chercher, en tirant sa chaise. Il voulut aider son ami:

— Tu sais . . . je connais un moyen de te reposer quand tu voudras . . .

— Je veux toujours, dit l'allumeur.

Car on peut être, à la fois, fidèle et paresseux.

Le petit prince poursuivit:

— Ta planète est tellement petite que tu en fais le tour en trois enjambées. Tu n'as qu'à marcher assez lentement pour rester toujours au soleil. Quand tu voudras te reposer tu marcheras . . . et le jour durera aussi longtemps que tu voudras.

— Ça ne m'avance pas à grand'chose, dit l'allumeur. Ce que j'aime dans la vie, c'est dormir.

35

— Ce n'est pas de chance, dit le petit prince.

— Ce n'est pas de chance, dit l'allumeur. Bonjour.

Et il éteignit son réverbère.

Celui-là, se dit le petit prince, tandis qu'il poursuivait plus loin son voyage, celui-là serait méprisé par tous les autres, par le roi, par le vaniteux, par le buveur, par le businessman. Cependant c'est le seul qui ne me paraisse pas ridicule. C'est, peut-être, parce qu'il s'occupe d'autre chose que de soi-même.

Il eut un soupir de regret et se dit encore:

— Celui-là est le seul dont j'eusse pu faire mon ami. Mais sa planète est vraiment trop petite. Il n'y a pas de place pour deux . . .

Ce que le petit prince n'osait pas s'avouer, c'est qu'il regrettait cette planète bénie à cause, surtout, des mille-quatre-cent-quarante couchers de soleil par vingt-quatre heures!


## XV


La sixième planète était une planète dix fois plus vaste. Elle était habitée par un vieux Monsieur qui écrivait d'énormes livres.

— Tiens! voilà un explorateur! s'écria-t-il, quand il aperçut le petit prince.

Le petit prince s'assit sur la table et souffla un peu. Il avait déjà tant voyagé!

— D'où viens-tu? lui dit le vieux Monsieur.

— Quel est ce gros livre? dit le petit prince. Que faites-vous ici?

— Je suis géographe, dit le vieux Monsieur.

— Qu'est-ce qu'un géographe?

— C'est un savant qui connaît où se trouvent les mers, les fleuves, les villes, les montagnes et les déserts.

— Ça c'est bien intéressant, dit le petit prince. Ça c'est enfin un véritable métier! Et il jeta un coup d'œil autour de lui sur la planète du géographe. Il n'avait jamais vu encore une planète aussi majestueuse.

— Elle est bien belle, votre planète. Est-ce qu'il y a des océans?

— Je ne puis pas le savoir, dit le géographe.

— Ah! (Le petit prince était déçu.) Et des montagnes?

— Je ne puis pas le savoir, dit le géographe.

— Et des villes et des fleuves et des déserts?

— Je ne puis pas le savoir non plus, dit le géographe.

— Mais vous êtes géographe!

— C'est exact, dit le géographe, mais je ne suis pas explorateur. Je manque absolument d'explorateurs. Ce n'est pas le géographe qui va faire le compte des villes, des fleuves, des montagnes, des mers, des océans et des déserts. Le géographe est trop important pour flâner. Il ne quitte pas son bureau. Mais il y reçoit les explorateurs. Il les interroge, et il prend en note leurs souvenirs. Et si les souvenirs de l'un d'entre eux lui paraissent intéressants, le géographe fait faire une enquête sur la moralité de l'explorateur.

— Pourquoi ça?

— Parce qu'un explorateur qui mentirait entraînerait des catastrophes dans les livres de géographie. Et aussi un explorateur qui boirait trop.

— Pourquoi ça? fit le petit prince.

— Parce que les ivrognes voient double. Alors le géographe noterait deux montagnes, là où il n'y en a qu'une seule.

— Je connais quelqu'un, dit le petit prince, qui serait mauvais explorateur.

— C'est possible. Donc, quand la moralité de l'explorateur paraît bonne, on fait une enquête sur sa découverte.

— On va voir?

— Non. C'est trop compliqué. Mais on exige de l'explorateur qu'il fournisse des preuves. S'il s'agit par exemple de la découverte d'une grosse montagne, on exige qu'il en rapporte de grosses pierres.

Le géographe soudain s'émut.

— Mais toi, tu viens de loin! Tu es explorateur! Tu vas me décrire ta planète!

Et le géographe, ayant ouvert son registre, tailla son crayon. On note d'abord au crayon les récits des explorateurs. On attend, pour noter à l'encre, que l'explorateur ait fourni des preuves.

— Alors? interrogea le géographe.

— Oh! chez moi, dit le petit prince, ce n'est pas très intéressant, c'est tout petit. J'ai trois volcans. Deux volcans en activité, et un volcan éteint. Mais on ne sait jamais.

— On ne sait jamais, dit le géographe.

— J'ai aussi une fleur.

— Nous ne notons pas les fleurs, dit le géographe.

— Pourquoi ça! c'est le plus joli!

— Parce que les fleurs sont éphémères.

— Qu'est-ce que signifie: "éphémère"?

— Les géographies, dit le géographe, sont les livres les plus sérieux de tous les livres. Elles ne se démodent jamais. Il est très rare qu'une montagne change de place. Il est très rare qu'un océan se vide de son eau. Nous écrivons des choses éternelles.

— Mais les volcans éteints peuvent se réveiller, interrompit le petit prince. Qu'est-ce que signifie: "éphémère"?

— Que les volcans soient éteints ou soient éveillés, ça revient au même pour nous autres, dit le géographe. Ce qui compte pour nous, c'est la montagne. Elle ne change pas.

— Mais qu'est-ce que signifie "éphémère"? répéta le petit

38

prince qui, de sa vie, n'avait renoncé à une question, une fois qu'il l'avait posée.

— Ça signifie "qui est menacé de disparition prochaine."

— Ma fleur est menacée de disparition prochaine?

— Bien sûr.

Ma fleur est éphémère, se dit le petit prince, et elle n'a que quatre épines pour se défendre contre le monde! Et je l'ai laissée toute seule chez moi!

Ce fut là son premier mouvement de regret. Mais il reprit courage:

— Que me conseillez-vous d'aller visiter? demanda-t-il.

— La planète Terre, lui répondit le géographe. Elle a une bonne réputation . . .

Et le petit prince s'en fut, songeant à sa fleur.


XVI


La septième planète fut donc la Terre.

La Terre n'est pas une planète quelconque! On y compte cent onze rois (en n'oubliant pas, bien sûr, les rois nègres) sept mille géographes, neuf-cent-mille businessmen, sept millions et demi d'ivrognes, trois-cent-onze millions de vaniteux, c'est-à-dire environ deux milliards de grandes personnes.

Pour vous donner une idée des dimensions de la Terre je vous dirai qu'avant l'invention de l'électricité on y devait entretenir, sur l'ensemble des six continents, une véritable armée de quatre-cent-soixante-deux-mille-cinq-cent-onze allumeurs de réverbères.

Vu d'un peu loin ça faisait un effet splendide. Les mouvements de cette armée étaient réglés comme ceux d'un ballet d'opéra. D'abord venait le tour des allumeurs de réverbères de Nouvelle-Zélande et d'Australie. Puis ceux-ci, ayant allumé leurs lampions, s'en allaient dormir. Alors entraient à leur tour dans la danse les allumeurs de réverbères de Chine et de Sibérie. Puis eux aussi s'escamotaient dans les coulisses. Alors venait le tour des allumeurs de réverbères de Russie et des Indes. Puis de ceux d'Afrique et d'Europe. Puis de ceux d'Amérique du Sud.

Puis de ceux d'Amérique du Nord. Et jamais ils ne se trompaient dans leur ordre d'entrée en scène. C'était grandiose.

Seuls, l'allumeur de l'unique réverbère du pôle Nord, et son confrère de l'unique réverbère du pôle Sud, menaient des vies d'oisiveté et de nonchalance: ils travaillaient deux fois par an.


## XVII

Quand on veut faire de l'esprit, il arrive que l'on mente un peu. Je n'ai pas été très honnête en vous parlant des allumeurs de réverbères. Je risque de donner une fausse idée de notre planète à ceux qui ne la connaissent pas. Les hommes occupent très peu de place sur la terre. Si les deux milliards d'habitants qui peuplent la terre se tenaient debout et un peu serrés, comme pour un meeting, ils logeraient aisément sur une place publique de vingt milles de long sur vingt milles de large. On pourrait entasser l'humanité sur le moindre petit îlot du Pacifique.

Les grandes personnes, bien sûr, ne vous croiront pas. Elles s'imaginent tenir beaucoup de place. Elles se voient importantes comme des baobabs. Vous leur conseillerez donc de faire le calcul. Elles adorent les chiffres: ça leur plaira. Mais ne perdez pas votre temps à ce pensum. C'est inutile. Vous avez confiance en moi.

Le petit prince, une fois sur terre, fut donc bien surpris de ne voir personne. Il avait déjà peur de s'être trompé de planète, quand un anneau couleur de lune remua dans le sable.

— Bonne nuit, fit le petit prince à tout hasard.

— Bonne nuit, fit le serpent.

— Sur quelle planète suis-je tombé? demanda le petit prince.

— Sur la Terre, en Afrique, répondit le serpent.

— Ah!... Il n'y a donc personne sur la Terre?

— Ici c'est le désert. Il n'y a personne dans les déserts. La Terre est grande, dit le serpent.

Le petit prince s'assit sur une pierre et leva les yeux vers le ciel:

— Je me demande, dit-il, si les étoiles sont éclairées afin que chacun puisse un jour retrouver la sienne. Regarde ma planète.

Elle est juste au-dessus de nous . . . Mais comme elle est loin!

— Elle est belle, dit le serpent. Que viens-tu faire ici?

— J'ai des difficultés avec une fleur, dit le petit prince.

— Ah! fit le serpent.

Et ils se turent.

— Où sont les hommes? reprit enfin le petit prince. On est un peu seul dans le désert . . .

— On est seul aussi chez les hommes, dit le serpent.

Le petit prince le regarda longtemps:

— Tu es une drôle de bête, lui dit-il enfin, mince comme un doigt . . .

— Mais je suis plus puissant que le doigt d'un roi, dit le serpent.

Le petit prince eut un sourire:

— Tu n'es pas bien puissant . . . tu n'as même pas de pattes . . . tu ne peux même pas voyager . . .

— Je puis t'emporter plus loin qu'un navire, dit le serpent.

Il s'enroula autour de la cheville du petit prince, comme un bracelet d'or:

— Celui que je touche, je le rends à la terre dont il est sorti, dit-il encore. Mais tu es pur et tu viens d'une étoile . . .

Le petit prince ne répondit rien.

— Tu me fais pitié, toi si faible, sur cette Terre de granit. Je puis t'aider un jour si tu regrettes trop ta planète. Je puis . . .

— Oh! J'ai très bien compris, fit le petit prince, mais pourquoi parles-tu toujours par énigmes?

— Je les résous toutes, dit le serpent.

Et ils se turent.


# XVIII


Le petit prince traversa le désert et ne rencontra qu'une fleur. Une fleur à trois pétales, une fleur de rien du tout . . .

— Bonjour, dit le petit prince.

— Bonjour, dit la fleur.

— Où sont les hommes? demanda poliment le petit prince.

La fleur, un jour, avait vu passer une caravane:

— Les hommes? Il en existe, je crois, six ou sept. Je les ai aperçus il y a des années. Mais on ne sait jamais où les trouver. Le vent les promène. Ils manquent de racines, ça les gêne beaucoup.

— Adieu, fit le petit prince.

— Adieu, dit la fleur.


# XIX

Le petit prince fit l'ascension d'une haute montagne. Les seules montagnes qu'il eût jamais connues étaient les trois volcans qui lui arrivaient au genou. Et il se servait du volcan éteint comme d'un tabouret. "D'une montagne haute comme celle-ci, se dit-il donc, j'apercevrai d'un coup toute la planète et tous les hommes . . ." Mais il n'aperçut rien que des aiguilles de roc bien aiguisées.

— Bonjour, dit-il à tout hasard.

— Bonjour . . . Bonjour . . . Bonjour . . . répondit l'écho.

— Qui êtes-vous? dit le petit prince.

— Qui êtes-vous . . . qui êtes-vous . . . qui êtes-vous . . . répondit l'écho.

— Soyez mes amis, je suis seul, dit-il.

— Je suis seul . . . je suis seul . . . je suis seul . . . répondit l'écho.

"Quelle drôle de planète, pensa-t-il alors! Elle est toute sèche, et toute pointue et toute salée. Et les hommes manquent d'imagination. Ils répètent ce qu'on leur dit . . . Chez moi j'avais une fleur: elle parlait toujours la première . . ."


# XX

Mais il arriva que le petit prince, ayant longtemps marché à travers les sables, les rocs et les neiges, découvrit enfin une route. Et les routes vont toutes chez les hommes.

— Bonjour, dit-il.

C'était un jardin fleuri de roses.

— Bonjour, dirent les roses.

Le petit prince les regarda. Elles ressemblaient toutes à sa fleur.

— Qui êtes-vous? leur demanda-t-il, stupéfait.

— Nous sommes des roses, dirent les roses.

— Ah! fit le petit prince . . .

Et il se sentait très malheureux. Sa fleur lui avait raconté qu'elle était seule de son espèce dans l'univers. Et voici qu'il en était cinq mille, toutes semblables, dans un seul jardin!

"Elle serait bien vexée, se dit-il, si elle voyait ça . . . elle tousserait énormément et ferait semblant de mourir pour échapper au ridicule. Et je serais bien obligé de faire semblant de la soigner, car, sinon, pour m'humilier moi aussi, elle se laisserait vraiment mourir . . ."

Puis il se dit encore "Je me croyais riche d'une fleur unique, et je ne possède qu'une rose ordinaire. Ça et mes trois volcans qui m'arrivent au genou, et dont l'un, peut-être, est éteint pour toujours, ça ne fait pas de moi un bien grand prince . . ." Et, couché dans l'herbe, il pleura.

## XXI

C'est alors qu'apparut le renard:

— Bonjour, dit le renard.

— Bonjour, répondit poliment le petit prince, qui se retourna
mais ne vit rien.

— Je suis là, dit la voix, sous le pommier . . .

— Qui es-tu? dit le petit prince. Tu es bien joli . . .

— Je suis un renard, dit le renard.

— Viens jouer avec moi, lui proposa le petit prince. Je suis
tellement triste . . .

— Je ne puis pas jouer avec toi, dit le renard. Je ne suis pas
apprivoisé.

— Ah! pardon, fit le petit prince.

Mais, après réflexion, il ajouta:

— Qu'est-ce que signifie "apprivoiser"?

— Tu n'es pas d'ici, dit le renard, que cherches-tu?

— Je cherche les hommes, dit le petit prince. Qu'est-ce que
signifie "apprivoiser"?

— Les hommes, dit le renard, ils ont des fusils et ils chassent.
C'est bien gênant! Ils élèvent aussi des poules. C'est leur seul
intérêt. Tu cherches des poules?

— Non, dit le petit prince. Je cherche des amis. Qu'est-ce que signifie "apprivoiser"?

— C'est une chose trop oubliée, dit le renard. Ça signifie "créer des liens . . ."

— Créer des liens?

— Bien sûr, dit le renard. Tu n'es encore pour moi qu'un petit garçon tout semblable à cent mille petits garçons. Et je n'ai pas besoin de toi. Et tu n'as pas besoin de moi non plus. Je ne suis pour toi qu'un renard semblable à cent mille renards. Mais, si tu m'apprivoises, nous aurons besoin l'un de l'autre. Tu seras pour moi unique au monde. Je serai pour toi unique au monde . . .

— Je commence à comprendre, dit le petit prince. Il y a une fleur . . . je crois qu'elle m'a apprivoisé . . .

— C'est possible, dit le renard. On voit sur la terre toutes sortes de choses . . .

— Oh! ce n'est pas sur la Terre, dit le petit prince.

Le renard parut très intrigué:

— Sur une autre planète?

— Oui.

— Il y a des chasseurs, sur cette planète-là?

— Non.

— Ça, c'est intéressant! Et des poules?

— Non.

— Rien n'est parfait, soupira le renard.

Mais le renard revint à son idée:

— Ma vie est monotone. Je chasse les poules, les hommes me chassent. Toutes les poules se ressemblent, et tous les hommes se ressemblent. Je m'ennuie donc un peu. Mais, si tu m'apprivoises, ma vie sera comme ensoleillée. Je connaîtrai un bruit de pas qui sera différent de tous les autres. Les autres pas me font rentrer sous terre. Le tien m'appellera hors du terrier, comme une musique. Et puis regarde! Tu vois, là-bas, les champs de blé? Je ne mange pas de pain. Le blé pour moi est inutile. Les champs de blé ne me rappellent rien. Et ça, c'est triste! Mais tu as des cheveux couleur d'or. Alors ce sera merveilleux quand tu m'auras apprivoisé! Le blé, qui est doré, me fera souvenir de toi. Et j'aimerai le bruit du vent dans le blé . . .

Le renard se tut et regarda longtemps le petit prince:

— S'il te plaît . . . apprivoise-moi, dit-il!

— Je veux bien, répondit le petit prince, mais je n'ai pas beaucoup de temps. J'ai des amis à découvrir et beaucoup de choses à connaître.

— On ne connaît que les choses que l'on apprivoise, dit le renard. Les hommes n'ont plus le temps de rien connaître. Ils achètent des choses toutes faites chez les marchands. Mais comme il n'existe point de marchands d'amis, les hommes n'ont plus d'amis. Si tu veux un ami, apprivoise-moi!

— Que faut-il faire? dit le petit prince.

— Il faut être très patient, répondit le renard. Tu t'assoiras d'abord un peu loin de moi, comme ça, dans l'herbe. Je te regarderai du coin de l'œil et tu ne diras rien. Le langage est source de malentendus. Mais chaque jour, tu pourras t'asseoir un peu plus près . . .

Le lendemain revint le petit prince.

— Il eût mieux valu revenir à la même heure, dit le renard. Si tu viens, par exemple, à quatre heures de l'après-midi, dès trois heures je commencerai d'être heureux. Plus l'heure avancera, plus je me sentirai heureux. A quatre heures, déjà, je m'agiterai et m'inquiéterai: je découvrirai le prix du bonheur! Mais si tu viens n'importe quand, je ne saurai jamais à quelle heure m'habiller le cœur . . . Il faut des rites.

— Qu'est-ce qu'un rite? dit le petit prince.

— C'est aussi quelque chose de trop oublié, dit le renard. C'est ce qui fait qu'un jour est différent des autres jours, une heure, des autres heures. Il y a un rite, par exemple, chez mes chasseurs. Ils dansent le jeudi avec les filles du village. Alors le jeudi est jour merveilleux! Je vais me promener jusqu'à la vigne. Si les chasseurs dansaient n'importe quand, les jours se ressembleraient tous, et je n'aurais point de vacances.

Ainsi le petit prince apprivoisa le renard. Et quand l'heure du départ fut proche:

— Ah! dit le renard . . . Je pleurerai.

— C'est ta faute, dit le petit prince, je ne te souhaitais point de mal, mais tu as voulu que je t'apprivoise . . .

— Bien sûr, dit le renard.

— Mais tu vas pleurer! dit le petit prince.

— Bien sûr, dit le renard.

— Alors tu n'y gagnes rien!

— J'y gagne, dit le renard, à cause de la couleur du blé.

Puis il ajouta:

— Va revoir les roses. Tu comprendras que la tienne est unique au monde. Tu reviendras me dire adieu, et je te ferai cadeau d'un secret.

Le petit prince s'en fut revoir les roses:

— Vous n'êtes pas du tout semblables à ma rose, vous n'êtes rien encore, leur dit-il. Personne ne vous a apprivoisées et vous n'avez apprivoisé personne. Vous êtes comme était mon renard. Ce n'était qu'un renard semblable à cent mille autres. Mais j'en ai fait mon ami, et il est maintenant unique au monde.

Et les roses étaient bien gênées.

— Vous êtes belles, mais vous êtes vides, leur dit-il encore. On ne peut pas mourir pour vous. Bien sûr, ma rose à moi, un passant ordinaire croirait qu'elle vous ressemble. Mais à elle seule elle est plus importante que vous toutes, puisque c'est elle que j'ai arrosée. Puisque c'est elle que j'ai mise sous globe. Puisque c'est elle que j'ai abritée par le paravent. Puisque c'est elle dont j'ai tué les chenilles (sauf les deux ou trois pour les papillons). Puisque c'est elle que j'ai écoutée se plaindre, ou se vanter, ou même quelquefois se taire. Puisque c'est ma rose.

Et il revint vers le renard:

— Adieu, dit-il . . .

— Adieu, dit le renard. Voici mon secret. Il est très simple: on ne voit bien qu'avec le cœur. L'essentiel est invisible pour les yeux.

— L'essentiel est invisible pour les yeux, répéta le petit prince, afin de se souvenir.

— C'est le temps que tu as perdu pour ta rose qui fait ta rose si importante.

— C'est le temps que j'ai perdu pour ma rose . . . fit le petit prince, afin de se souvenir.

— Les hommes ont oublié cette vérité, dit le renard. Mais tu ne dois pas l'oublier. Tu deviens responsable pour toujours de ce que tu as apprivoisé. Tu es responsable de ta rose . . .

— Je suis responsable de ma rose... répéta le petit prince, afin de se souvenir.

## XXII

— Bonjour, dit le petit prince.

— Bonjour, dit l'aiguilleur.

— Que fais-tu ici? dit le petit prince.

— Je trie les voyageurs, par paquets de mille, dit l'aiguilleur. J'expédie les trains qui les emportent, tantôt vers la droite, tantôt vers la gauche.

Et un rapide illuminé, grondant comme le tonnerre, fit trembler la cabine d'aiguillage.

— Ils sont bien pressés, dit le petit prince. Que cherchent-ils?

— L'homme de la locomotive l'ignore lui-même, dit l'aiguilleur.

Et gronda, en sens inverse, un second rapide illuminé.

— Ils reviennent déjà? demanda le petit prince...

— Ce ne sont pas les mêmes, dit l'aiguilleur. C'est un échange.

— Ils n'étaient pas contents, là où ils étaient?

— On n'est jamais content là où l'on est, dit l'aiguilleur.

Et gronda le tonnerre d'un troisième rapide illuminé.

— Ils poursuivent les premiers voyageurs? demanda le petit prince.

— Ils ne poursuivent rien du tout, dit l'aiguilleur. Ils dorment là-dedans, ou bien ils bâillent. Les enfants seuls écrasent leur nez contre les vitres.

— Les enfants seuls savent ce qu'ils cherchent, fit le petit prince. Ils perdent du temps pour une poupée de chiffons, et elle devient très importante, et si on la leur enlève, ils pleurent...

— Ils ont de la chance, dit l'aiguilleur.

## XXIII

— Bonjour, dit le petit prince.

— Bonjour, dit le marchand.

C'était un marchand de pilules perfectionnées qui apaisent la soif. On en avale une par semaine et l'on n'éprouve plus le besoin de boire.

— Pourquoi vends-tu ça? dit le petit prince.

— C'est une grosse économie de temps, dit le marchand. Les experts ont fait des calculs. On épargne cinquante-trois minutes par semaine.

— Et que fait-on de ces cinquante-trois minutes?

— On en fait ce que l'on veut . . .

"Moi, se dit le petit prince, si j'avais cinquante-trois minutes à dépenser, je marcherais tout doucement vers une fontaine . . ."


## XXIV


Nous en étions au huitième jour de ma panne dans le désert, et j'avais écouté l'histoire du marchand en buvant la dernière goutte de ma provision d'eau:

— Ah! dis-je au petit prince, ils sont bien jolis, tes souvenirs, mais je n'ai pas encore réparé mon avion, je n'ai plus rien à boire, et je serais heureux, moi aussi, si je pouvais marcher tout doucement vers une fontaine!

— Mon ami le renard, me dit-il . . .

— Mon petit bonhomme, il ne s'agit plus du renard!

— Pourquoi?

— Parce qu'on va mourir de soif . . .

Il ne comprit pas mon raisonnement, il me répondit:

— C'est bien d'avoir eu un ami, même si l'on va mourir. Moi, je suis bien content d'avoir eu un ami renard . . .

Il ne mesure pas le danger, me dis-je. Il n'a jamais ni faim ni soif. Un peu de soleil lui suffit . . .

Mais il me regarda et répondit à ma pensée:

— J'ai soif aussi . . . cherchons un puits . . .

J'eus un geste de lassitude: il est absurde de chercher un puits, au hasard, dans l'immensité du désert. Cependant nous nous mîmes en marche.

Quand nous eûmes marché, des heures, en silence, la nuit

49

tomba, et les étoiles commencèrent de s'éclairer. Je les apercevais comme en rêve, ayant un peu de fièvre, à cause de ma soif. Les mots du petit prince dansaient dans ma mémoire:

— Tu as donc soif, toi aussi? lui demandai-je.

Mais il ne répondit pas à ma question. Il me dit simplement:

— L'eau peut aussi être bonne pour le cœur . . .

Je ne compris pas sa réponse mais je me tus . . . Je savais bien qu'il ne fallait pas l'interroger.

Il était fatigué. Il s'assit. Je m'assis auprès de lui. Et, après un silence, il dit encore:

— Les étoiles sont belles, à cause d'une fleur que l'on ne voit pas . . .

Je répondis "bien sûr" et je regardai, sans parler, les plis du sable sous la lune.

— Le désert est beau, ajouta-t-il . . .

Et c'était vrai. J'ai toujours aimé le désert. On s'assoit sur une dune de sable. On ne voit rien. On n'attend rien. Et cependant quelque chose rayonne en silence . . .

— Ce qui embellit le désert, dit le petit prince, c'est qu'il cache un puits quelque part . . .

Je fus surpris de comprendre soudain ce mystérieux rayonnement du sable. Lorsque j'étais petit garçon j'habitais une maison ancienne, et la légende racontait qu'un trésor y était enfoui. Bien sûr, jamais personne n'a su le découvrir, ni, peut-être même ne l'a cherché. Mais il enchantait toute cette maison. Ma maison cachait un secret au fond de son cœur . . .

— Oui, dis-je au petit prince, qu'il s'agisse de la maison, des étoiles ou du désert, ce qui fait leur beauté est invisible!

— Je suis content, dit-il, que tu sois d'accord avec mon renard.

Comme le petit prince s'endormait, je le pris dans mes bras, et me remis en route. J'étais ému. Il me semblait porter un trésor fragile. Il me semblait même qu'il n'y eût rien de plus fragile sur la Terre. Je regardais, à la lumière de la lune, ce front pâle, ces yeux clos, ces mèches de cheveux qui tremblaient au vent, et je me disais: ce que je vois là n'est qu'une écorce. Le plus important est invisible . . .

Comme ses lèvres entr'ouvertes ébauchaient un demi-sourire je me dis encore: "Ce qui m'émeut si fort de ce petit prince endormi, c'est sa fidélité pour une fleur, c'est l'image d'une rose qui rayonne en lui comme la flamme d'une lampe, même quand il dort . . ." Et je le devinai plus fragile encore. Il faut bien protéger les lampes: un coup de vent peut les éteindre . . .

Et, marchant ainsi, je découvris le puits au lever du jour.


## XXV

— Les hommes, dit le petit prince, ils s'enfournent dans les rapides, mais ils ne savent plus ce qu'ils cherchent. Alors ils s'agitent et tournent en rond . . .

Et il ajouta:

— Ce n'est pas la peine . . .

Le puits que nous avions atteint ne ressemblait pas aux puits sahariens. Les puits sahariens sont de simples trous creusés dans le sable. Celui-là ressemblait à un puits de village. Mais il n'y avait là aucun village, et je croyais rêver.

— C'est étrange, dis-je au petit prince, tout est prêt: la poulie le seau et la corde . . .

Il rit, toucha la corde, fit jouer la poulie. Et la poulie gémit comme gémit une vieille girouette quand le vent a longtemps dormi.

— Tu entends, dit le petit prince, nous réveillons ce puits et il chante . . .

Je ne voulais pas qu'il fît un effort:

— Laisse-moi faire, lui dis-je, c'est trop lourd pour toi.

Lentement je hissai le seau jusqu'à la margelle. Je l'y installai bien d'aplomb. Dans mes oreilles durait le chant de la poulie et, dans l'eau qui tremblait encore, je voyais trembler le soleil.

— J'ai soif de cette eau-là, dit le petit prince, donne-moi à boire . . .

Et je compris ce qu'il avait cherché!

Je soulevai le seau jusqu'à ses lèvres. Il but, les yeux fermés. C'était doux comme une fête. Cette eau était bien autre chose qu'un aliment. Elle était née de la marche sous les étoiles, du chant de la poulie, de l'effort de mes bras. Elle était bonne pour

Il rit, toucha la corde, fit jouer la poulie.

le cœur, comme un cadeau. Lorsque j'étais petit garçon, la lumière de l'arbre de Noël, la musique de la messe de minuit, la douceur des sourires faisaient ainsi tout le rayonnement du cadeau de Noël que je recevais.

— Les hommes de chez toi, dit le petit prince, cultivent cinq mille roses dans un même jardin . . . et ils n'y trouvent pas ce qu'ils cherchent . . .

— Ils ne le trouvent pas, répondis-je . . .

— Et cependant ce qu'ils cherchent pourrait être trouvé dans une seule rose ou un peu d'eau . . .

— Bien sûr, répondis-je.

Et le petit prince ajouta:

— Mais les yeux sont aveugles. Il faut chercher avec le cœur.

J'avais bu. Je respirais bien. Le sable, au lever du jour, est couleur de miel. J'étais heureux aussi de cette couleur de miel. Pourquoi fallait-il que j'eusse de la peine . . .

— Il faut que tu tiennes ta promesse, me dit doucement le petit prince, qui, de nouveau, s'était assis auprès de moi.

— Quelle promesse?

— Tu sais . . . une muselière pour mon mouton . . . je suis responsable de cette fleur!

Je sortis de ma poche mes ébauches de dessin. Le petit prince les aperçut et dit en riant:

— Tes baobabs, ils ressemblent un peu à des choux . . .

— Oh!

Moi qui étais si fier des baobabs!

— Ton renard . . . ses oreilles . . . elles ressemblent un peu à des cornes . . . et elles sont trop longues!

Et il rit encore.

— Tu es injuste, petit bonhomme, je ne savais rien dessiner que les boas fermés et les boas ouverts.

— Oh! ça ira, dit-il, les enfants savent.

Je crayonnai donc une muselière. Et j'eus le cœur serré en la lui donnant:

— Tu as des projets que j'ignore . . .

Mais il ne me répondit pas. Il me dit:

— Tu sais, ma chute sur la terre . . . c'en sera demain l'anniversaire . . .

Puis, après un silence il dit encore:

—J'étais tombé tout près d'ici ...

Et il rougit.

Et de nouveau, sans comprendre pourquoi, j'éprouvai un chagrin bizarre. Cependant une question me vint:

— Alors ce n'est pas par hasard que, le matin où je t'ai connu, il y a huit jours, tu te promenais comme ça, tout seul, à mille milles de toutes les régions habitées! Tu retournais vers le point de ta chute?

Le petit prince rougit encore.

Et j'ajoutai, en hésitant:

— A cause, peut-être, de l'anniversaire? ...

Le petit prince rougit de nouveau. Il ne répondait jamais aux questions, mais, quand on rougit, ça signifie "oui," n'est-ce pas?

— Ah! lui dis-je, j'ai peur ...

Mais il me répondit:

— Tu dois maintenant travailler. Tu dois repartir vers ta machine. Je t'attends ici. Reviens demain soir ...

Mais je n'étais pas rassuré. Je me souvenais du renard. On risque de pleurer un peu si l'on s'est laissé apprivoiser ...

## XXVI

Il y avait, à côté du puits, une ruine de vieux mur de pierre. Lorsque je revins de mon travail, le lendemain soir, j'aperçus de loin mon petit prince assis là-haut, les jambes pendantes. Et je l'entendis qui parlait:

— Tu ne t'en souviens donc pas? disait-il. Ce n'est pas tout à fait ici!

Une autre voix lui répondit sans doute, puisqu'il répliqua:

— Si! Si! c'est bien le jour, mais ce n'est pas ici l'endroit ...

Je poursuivis ma marche vers le mur. Je ne voyais ni n'entendais toujours personne. Pourtant le petit prince répliqua de nouveau:

— ... Bien sûr. Tu verras où commence ma trace dans le sable. Tu n'as qu'à m'y attendre. J'y serai cette nuit.

—Maintenant va-t'en, dit-il . . . je veux redescendre!

J'étais à vingt mètres du mur et je ne voyais toujours rien.

Le petit prince dit encore, après un silence:

— Tu as du bon venin? Tu es sûr de ne pas me faire souffrir longtemps?

Je fis halte, le cœur serré, mais je ne comprenais toujours pas.

— Maintenant va-t'en, dit-il . . . je veux redescendre!

Alors j'abaissai moi-même les yeux vers le pied du mur, et je fis un bond! Il était là, dressé vers le petit prince, un de ces serpents jaunes qui vous exécutent en trente secondes. Tout en fouillant ma poche pour en tirer mon revolver, je pris le pas de course, mais, au bruit que je fis, le serpent se laissa doucement couler dans le sable, comme un jet d'eau qui meurt, et, sans trop se presser, se faufila entre les pierres avec un léger bruit de métal.

Je parvins au mur juste à temps pour y recevoir dans les bras mon petit bonhomme de prince, pâle comme la neige.

— Quelle est cette histoire-là! Tu parles maintenant avec les serpents!

J'avais défait son éternel cache-nez d'or. Je lui avais mouillé les tempes et l'avais fait boire. Et maintenant je n'osais plus rien lui demander. Il me regarda gravement et m'entoura le cou de ses bras. Je sentais battre son cœur comme celui d'un oiseau qui meurt, quand on l'a tiré à la carabine. Il me dit:

— Je suis content que tu aies trouvé ce qui manquait à ta machine. Tu vas pouvoir rentrer chez toi . . .

— Comment sais-tu!

Je venais justement lui annoncer que, contre toute espérance, j'avais réussi mon travail!

Il ne répondit rien à ma question, mais il ajouta:

— Moi aussi, aujourd'hui, je rentre chez moi . . .

Puis, mélancolique:

— C'est bien plus loin . . . c'est bien plus difficile . . .

Je sentais bien qu'il se passait quelque chose d'extraordinaire. Je le serrais dans les bras comme un petit enfant, et cependant il me semblait qu'il coulait verticalement dans un abîme sans que je pusse rien pour le retenir . . .

Il avait le regard sérieux, perdu très loin:

— J'ai ton mouton. Et j'ai la caisse pour le mouton. Et j'ai la muselière . . .

Et il sourit avec mélancolie.

J'attendis longtemps. Je sentais qu'il se réchauffait peu à peu:

— Petit bonhomme, tu as eu peur . . .

Il avait eu peur, bien sûr! Mais il rit doucement:

— J'aurai bien plus peur ce soir . . .

De nouveau je me sentais glacé par le sentiment de l'irréparable. Et je compris que je ne supportais pas l'idée de ne plus jamais entendre ce rire. C'était pour moi comme une fontaine dans le désert.

— Petit bonhomme, je veux encore t'entendre rire . . .

Mais il me dit:

— Cette nuit, ça fera un an. Mon étoile se trouvera juste au-dessus de l'endroit où je suis tombé l'année dernière . . .

— Petit bonhomme, n'est-ce pas que c'est un mauvais rêve cette histoire de serpent et de rendez-vous et d'étoile . . .

Mais il ne répondit pas à ma question. Il me dit·

— Ce qui est important, ça ne se voit pas . . .

— Bien sûr . . .

— C'est comme pour la fleur. Si tu aimes une fleur qui se trouve dans une étoile, c'est doux, la nuit, de regarder le ciel. Toutes les étoiles sont fleuries.

— Bien sûr . . .

— C'est comme pour l'eau. Celle que tu m'as donnée à boire était comme une musique, à cause de la poulie et de la corde . . . tu te rappelles . . . elle était bonne.

— Bien sûr . . .

— Tu regarderas, la nuit, les étoiles. C'est trop petit chez moi pour que je te montre où se trouve la mienne. C'est mieux comme ça. Mon étoile, ça sera pour toi une des étoiles. Alors, toutes les étoiles, tu aimeras les regarder . . . Elles seront toutes tes amies. Et puis je vais te faire un cadeau . . .

Il rit encore.

— Ah! petit bonhomme, petit bonhomme, j'aime entendre ce rire!

— Justement ce sera mon cadeau . . . ce sera comme pour l'eau . . .

— Que veux-tu dire?

— Les gens ont des étoiles qui ne sont pas les mêmes. Pour les uns, qui voyagent, les étoiles sont des guides. Pour d'autres elles ne sont rien que de petites lumières. Pour d'autres qui sont savants elles sont des problèmes. Pour mon businessman elles étaient de l'or. Mais toutes ces étoiles-là se taisent. Toi, tu auras des étoiles comme personne n'en a . . .

— Que veux-tu dire?

— Quand tu regarderas le ciel, la nuit, puisque j'habiterai dans l'une d'elles, puisque je rirai dans l'une d'elles, alors ce sera pour toi comme si riaient toutes les étoiles. Tu auras, toi, des étoiles qui savent rire!

Et il rit encore.

— Et quand tu seras consolé (on se console toujours) tu seras content de m'avoir connu. Tu seras toujours mon ami. Tu auras envie de rire avec moi. Et tu ouvriras parfois ta fenêtre, comme ça, pour le plaisir . . . Et tes amis seront bien étonnés de te voir rire en regardant le ciel. Alors tu leur diras: "Oui, les étoiles, ça me fait toujours rire!" Et ils te croiront fou. Je t'aurai joué un bien vilain tour . . .

Et il rit encore.

— Ce sera comme si je t'avais donné, au lieu d'étoiles, des tas de petits grelots qui savent rire . . .

Et il rit encore. Puis il redevint sérieux:

— Cette nuit . . . tu sais . . . ne viens pas.

— Je ne te quitterai pas.

— J'aurai l'air d'avoir mal . . . j'aurai un peu l'air de mourir. C'est comme ça. Ne viens pas voir ça, ce n'est pas la peine . . .

— Je ne te quitterai pas.

Mais il était soucieux.

— Je te dis ça . . . c'est à cause aussi du serpent. Il ne faut pas qu'il te morde . . . Les serpents, c'est méchant. Ça peut mordre pour le plaisir . . .

— Je ne te quitterai pas.

Mais quelque chose le rassura:

— C'est vrai qu'ils n'ont plus de venin pour la seconde morsure . . .

Cette nuit-là je ne le vis pas se mettre en route. Il s'était évadé sans bruit. Quand je réussis à le rejoindre il marchait décidé, d'un pas rapide. Il me dit seulement:

— Ah! tu es là . . .

Et il me prit par la main. Mais il se tourmenta encore:

— Tu as eu tort. Tu auras de la peine. J'aurai l'air d'être mort et ce ne sera pas vrai . . .

Moi je me taisais.

— Tu comprends. C'est trop loin. Je ne peux pas emporter ce corps-là. C'est trop lourd.

Moi je me taisais.

— Mais ce sera comme une vieille écorce abandonnée. Ce n'est pas triste les vieilles écorces . . .

Moi je me taisais.

Il se découragea un peu. Mais il fit encore un effort:

— Ce sera gentil tu sais. Moi aussi je regarderai les étoiles. Toutes les étoiles seront des puits avec une poulie rouillée. Toutes les étoiles me verseront à boire . . .

Moi je me taisais.

— Ce sera tellement amusant! Tu auras cinq cents millions de grelots, j'aurai cinq cents millions de fontaines . . .

Et il se tut aussi, parce qu'il pleurait . . .

— C'est là. Laisse-moi faire un pas tout seul.

Et il s'assit parce qu'il avait peur. Il dit encore:

— Tu sais... ma fleur... j'en suis responsable! Et elle est tellement faible! Et elle est tellement naïve. Elle a quatre épines de rien du tout pour la protéger contre le monde...

Moi, je m'assis parce que je ne pouvais plus me tenir debout. Il dit:

— Voilà... C'est tout...

Il hésita encore un peu, puis il se releva. Il fit un pas. Moi je ne pouvais pas bouger.

Il n'y eut rien qu'un éclair jaune près de sa cheville. Il demeura un instant immobile. Il ne cria pas. Il tomba doucement comme tombe un arbre. Ça ne fit même pas de bruit, à cause du sable.

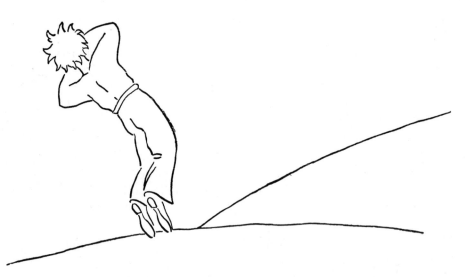

Il tomba doucement comme tombe un arbre.

## XXVII

Et maintenant, bien sûr, ça fait six ans déjà . . . Je n'ai jamais encore raconté cette histoire. Les camarades qui m'ont revu ont été bien contents de me revoir vivant. J'étais triste mais je leur disais: C'est la fatigue . . .

Maintenant je me suis un peu consolé. C'est-à-dire . . . pas tout à fait. Mais je sais bien qu'il est revenu à sa planète, car, au lever du jour, je n'ai pas retrouvé son corps. Ce n'était pas un corps tellement lourd . . . Et j'aime la nuit écouter les étoiles. C'est comme cinq cents millions de grelots . . .

Mais voilà qu'il se passe quelque chose d'extraordinaire. La muselière que j'ai dessinée pour le petit prince, j'ai oublié d'y ajouter la courroie de cuir! Il n'aura jamais pu l'attacher au mouton. Alors je me demande: Que s'est-il passé sur sa planète? Peut-être bien que le mouton a mangé la fleur . . .

Tantôt je me dis: "Sûrement non! Le petit prince enferme sa fleur toutes les nuits sous son globe de verre, et il surveille bien son mouton . . ." Alors je suis heureux. Et toutes les étoiles rient doucement.

Tantôt je me dis: "On est distrait une fois ou l'autre, et ça suffit! Il a oublié, un soir, le globe de verre, ou bien le mouton est sorti sans bruit pendant la nuit . . ." Alors les grelots se changent tous en larmes! . . .

C'est là un bien grand mystère. Pour vous qui aimez aussi le petit prince, comme pour moi, rien de l'univers n'est semblable si quelque part, on ne sait où, un mouton que nous ne connaissons pas a, oui ou non, mangé une rose . . .

Regardez le ciel. Demandez-vous: le mouton oui ou non a-t-il mangé la fleur? Et vous verrez comme tout change . . .

Et aucune grande personne ne comprendra jamais que ça a tellement d'importance!

Ça c'est, pour moi, le plus beau et le plus triste paysage du monde. C'est le même paysage que celui de la page précédente, mais je l'ai dessiné une fois encore pour bien vous le montrer. C'est ici que le petit prince a apparu sur terre, puis disparu.

Regardez attentivement ce paysage afin d'être sûrs de le reconnaître, si vous voyagez un jour en Afrique, dans le désert. Et, s'il vous arrive de passer par là, je vous en supplie, ne vous pressez pas, attendez un peu juste sous l'étoile! Si alors un enfant vient à vous, s'il rit, s'il a des cheveux d'or, s'il ne répond pas quand on l'interroge, vous devinerez bien qui il est. Alors soyez gentils! Ne me laissez pas tellement triste: écrivez-moi vite qu'il est revenu . . .

# Notes

PAGE 3. ... *une panne dans le désert du Sahara.* On an attempted flight from Paris to French Indo-China, Saint-Exupéry and his mechanic nearly lost their lives in Egypt on the border of the Libyan Desert. See *Terre des hommes*, chapitre VII, *Au centre du désert*, pp. 131–187, for the epic account of their adventure. They crashed, miraculously unhurt, in the early morning before dawn on December 30, 1935. On their fourth day of wandering, they were saved from death by a Bedouin who gave them water.

PAGE 3. *S'il vous plaît ... dessine-moi un mouton.* Notice the childish inconsistency in the use of both formal and familiar forms.

PAGE 10. *Quand on veut un mouton, c'est la preuve qu'on existe.* This is perhaps a whimsical reminiscence of Descartes, famous French rationalistic philosopher of the seventeenth century, who built up his system on the statement: *Je pense, donc je suis.*

PAGE 12. ... *c'étaient les graines de baobabs* ... Compare with Georges Duhamel, *Fables de mon jardin*, chapitre XXI, *Convolvulus, dit belle-de-jour*, for a description of the bindweed, almost as invasive as the baobabs of Saint-Exupéry.

PAGE 15. *Quand il est midi aux Etats-Unis, le soleil ... se couche sur la France.* The statement is, of course, only approximative. As a matter of fact, when it is noon in the eastern time belt of the United States, it is five o'clock in the afternoon in France. The sun might be setting or not, according to the season.

PAGE 19. *Le soir vous me mettrez sous globe.* Note the excessive vanity of the rose. Ordinarily plants are put under bell-glasses (*cloche* in French). Valuable clocks and other precious objects of art used to be put for their protection under glass cases or globes.

PAGE 20. *Il ramona soigneusement ses volcans en activité.* For the French reader this sentence has more vivid connotations than for the American reader. In France there is obligatory periodical chimney-sweeping.

PAGE 31. *Ouf! Ça fait donc cinq-cent-un millions six-cent-vingt-deux-mille sept-cent-trente-et-un.*
   *—Cinq cent millions de quoi?*
   *—Et que fais-tu de cinq-cents millions d'étoiles?*
Saint-Exupéry makes excessive use of hyphens in numerals and is not consistent in the way he writes cent — with or without *s*.

PAGE 32. *Alors elles sont à moi, car j'y ai pensé le premier.* This whole passage reminds one of the famous lines of Jean-Jacques Rousseau (1712–1778) in the *Discours sur l'inégalité* (1755) in which he endeavors to explain the origin of the idea of property:

"Le premier qui, ayant enclos un terrain, s'avisa de dire: *Ceci est à moi,* et trouva des gens assez simples pour le croire, fut le vrai fondateur de la société civile.  Que de crimes, de guerres, de meurtres, que de misères et d'horreurs n'eût point épargnés au genre humain celui qui, arrachant les pieux ou comblant le fossé, eût crié à ses semblables: 'Gardez-vous d'écouter cet imposteur; vous êtes perdus si vous oubliez que les fruits sont à tous, et que la terre n'est à personne!' "

PAGE 39. *lampions.* Of course, street lamps are not *lampions,* which are either Chinese lanterns or colored glass cups used for illuminations. Saint-Exupéry uses the word here to heighten the fanciful quality of his ballet.

PAGE 40. *Les hommes occupent très peu de place sur la terre.* Saint-Exupéry frequently speaks of the immensity of the uninhabited regions of the world.  See, for example, *Terre des hommes,* chapitre IV, *L'avion et la planète,* I, p. 64, II, p. 68, IV, pp. 72–74; chapitre VII, *Au centre du désert,* II, p. 134.

PAGE 41. *On est seul aussi chez les hommes.* Compare with the following passage from the author's *Lettre à un otage,* chapitre II, p. 32.  ". . . le désert n'est pas là où l'on croit.  Le Sahara est plus vivant qu'une capitale et la ville la plus grouillante se vide si les pôles essentiels de la vie sont désaimantés."

PAGE 44. *Je ne suis pas apprivoisé.  Apprivoiser* is a favorite word of the author.  See *Courrier sud,* pp. 76 and 92; *Terre des hommes,* pp. 37, 125, 199, 215.  Nowhere, however, is the philosophy that Saint-Exupéry attaches to the word better explained than in *Le petit prince.*

PAGE 47. *Puisque c'est elle que j'ai mise sous globe.*  See note for page 19.

*. . . on ne voit bien qu'avec le cœur.  L'essentiel est invisible pour les yeux.* This emphasis on the "heart" reminds one of Pascal (1623–1662) in such sentences as: "le cœur a ses raisons, que la raison ne connaît point" and "est-ce par raison que vous aimez?  C'est le cœur qui sent Dieu, et non la raison." — Blaise Pascal, *Pensées et Opuscules,* éd. Léon Brunschvicg, Paris, Hachette, 5e éd. revue, p. 458.

PAGE 50. *J'ai toujours aimé le désert.*  Saint-Exupéry loves the desert, even though, on more than one occasion, it nearly cost him his life. For a passage similar to the one here see *Lettre à un otage,* II, pp. 26–27.

*Lorsque j'étais petit garçon j'habitais une maison ancienne, et la légende racon-*
*tait qu'un trésor y était enfoui.* In *Courrier sud,* p. 183, Saint-Exupéry speaks
of the imaginary treasure which embellished his home. "A dix ans,
nous trouvions refuge dans la charpente du grenier. Des oiseaux
morts, de vieilles malles éventrées, des vêtements extraordinaires: un
peu les coulisses de la vie. Et ce trésor que nous disions caché, ce trésor
des vieilles demeures, exactement décrit dans les contes de fées: saphirs,
opales, diamants . . ."

PAGE 51. *Les hommes . . . s'enfournent dans les rapides.* The verb *enfourner*
is usually used in connection with bread and cakes. Compare this passage with that of *Terre des hommes,* chapitre VII, *Au centre du désert,* p.
179, where Saint-Exupéry speaks of "ces populations des trains de
banlieue."

*Le puits . . .* Wells are a recurrent theme with Saint-Exupéry.
See *Courrier sud,* pp. 171–172; *Terre des hommes,* chapitre VI, *Dans le
désert,* I, pp. 91–92; *ibid.,* chapitre VII, *Au centre du désert,* V, pp. 162–
163; *Lettre à un otage,* II, p. 28.
The following passage, *Terre des hommes,* chapitre VII, *Au centre du
désert,* V, p. 178, states most explicitly the fundamental reason for Saint-
Exupéry's cult of wells: "On croit que l'homme est libre. . . . On ne
voit pas la corde qui le rattache au puits, qui le rattache, comme un
cordon ombilical, au ventre de la terre. S'il fait un pas de plus, il
meurt."

PAGE 53. *. . . la douceur des sourires . . .* Saint-Exupéry never tires of ex-
tolling smiles as a means of breaking down barriers and of bringing
about mutual understanding between human beings. See, for example,
*Courrier sud,* pp. 78, 131; *Terre des hommes,* pp. 43, 125–126, 197, 216.
The best examples are in *Lettre à un otage,* III, pp. 40–41, and IV, pp.
45–56. This last reference is to a whole chapter telling how a smile
helped to save his life. The concluding paragraph reads as follows:
"Les soins accordés au malade, l'accueil offert au proscrit, le pardon
même ne valent que grâce au sourire qui éclaire la fête. Nous nous
rejoignons dans le sourire au-dessus des langages, des castes, des partis.
Nous sommes les fidèles d'une même Eglise, tel et ses coutumes, moi et
les miennes."

*Ton renard . . . ses oreilles . . . ressemblent un peu à des cornes . . . et elles
sont trop longues!* Compare with the description of the desert foxes in
*Terre des hommes,* chapitre VII, *Au centre du désert,* V, pp. 158–160. "Ce
sont sans doute des 'fenechs' ou renards des sables, petits carnivores gros
comme des lapins et ornés d'énormes oreilles."

PAGE 56. *J'avais défait son éternel cache-nez d'or.* Stanley Walker in his article in *Tricolor*, October, 1944, tells us that Saint-Exupéry, like the little prince, affected a scarf, "which he liked to have flying behind him."

PAGE 59. *Toutes les étoiles seront des puits avec une poulie rouillée.* Compare with *Terre des hommes*, chapitre VII, *Au centre du désert*, V, p. 163. ". . . ces dominicains studieux . . . possèdent une belle cuisine fraîche aux carreaux rouges et, dans la cour, une merveilleuse pompe rouillée. Sous la pompe rouillée, sous la pompe rouillée, vous l'auriez deviné . . . sous la pompe rouillée c'est le puits permanent!" See also the second note for page 51.

PAGE 60. The death of the Petit Prince on the sand beneath the stars reminds one of the death of Bernis, hero of Saint-Exupéry's first book. See *Introduction*.

PAGE 61. *Le petit prince enferme sa fleur toutes les nuits sous son globe de verre.* See note for p. 19.

PAGES 62–63. Inevitably the last picture, with its lone star above a deserted landscape, makes one think of the star of Bethlehem. The accompanying text makes one ask: Will the little prince come to earth a second time, or will, at least, his spirit descend to "tame" mankind?

# Vocabulary

The vocabulary, although drawn up with the needs of elementary students in mind, assumes knowledge of the forms and the common uses of

1. The definite article: *le (l'), la (l'), les.*
2. The contractions *au, aux, du, des.*
3. The subject personal pronouns: *je (j'), tu, il, elle, nous, vous, ils, elles;* and the indefinite pronoun *on (l'on).*
4. The direct object personal pronouns: *me (m'), te (t'), le (l'), la (l'), se (s'), nous, vous, les, se (s').*
5. The indirect object personal pronouns: *me (m'), te (t'), lui, se (s'), nous, vous, leur, se (s').*
6. The disjunctive personal pronouns: *moi, toi, lui, elle, soi, nous, vous, eux, elles; moi-même,* etc.
7. The possessive pronouns: *le mien, la mienne, les miens, les miennes, le tien, la tienne, les tiens, les tiennes, le sien, la sienne, les siens, les siennes, le nôtre, la nôtre, les nôtres, le vôtre, la vôtre, les vôtres, le leur, la leur, les leurs.*
8. The possessive adjectives: *mon, ma, mes, ton, ta, tes, son, sa, ses, notre, nos, votre, vos, leur, leurs.*
9. The relative pronouns: *qui, que (qu'), dont, où, lequel, laquelle, lesquels, lesquelles, quoi.*
10. The interrogative pronouns: *qui? que (qu')? quoi? lequel? laquelle? lesquels? lesquelles?*
11. The interrogative adjectives: *quel? quelle? quels? quelles?*
12. The demonstrative pronouns: *ce (c'), ceci, cela (ça), celui, celle, ceux, celles.*
13. The demonstrative adjectives: *ce (cet), cette, ces.*
14. The enclitics: *-ci* and *-là.*

To aid beginning students, considerable help is given in verb forms. However, it is assumed that the student knows:

1. The present indicative of *avoir* and *être* and of the regular verbs belonging to the groups represented by *donner, finir,* and *rompre.*
2. The regularly formed past participles.
3. The endings of the imperfect indicative of all verbs: *-ais, -ais, -ait, -ions, -iez, -aient.*
4. The future endings (*-ai, -as, -a, -ons, -ez, -ont*) regularly added to the infinitive as stem.
5. The conditional endings (*-ais, -ais, -ait, -ions, -iez, -aient*) likewise regularly added to the infinitive as stem. (*Note.* The *-e* of verbs

69

ending in -*re* is dropped before adding the future and conditional endings.)

When recognition might be difficult for a beginner, verb forms are listed in the vocabulary.

It is also assumed that the student knows that most verbs are conjugated with *avoir*, but that many intransitive verbs denoting motion or change of condition are conjugated with *être*. All reflexive, reciprocal, and passive verbs are likewise conjugated with *être*.

Before the student reads the second chapter, he should study for recognition the *passé simple* (past definite) of *avoir, être*, and the regular verbs of the types represented by *donner, finir*, and *rompre*.

Before the third and fourth chapters he should learn the imperative and present subjunctive of verbs of the first group. He should also study verbs of this group with orthographic changes. Examples in these chapters are *interrogeai, plongea, préfère, pèse, essaie, essaierai*. In chapter two, there was the form *lançai*, which probably did not cause any difficulty. These and other forms with orthographic changes are not separately listed in the vocabulary.

Beginning with the sixth chapter, besides the infinitive, only those forms of verbs are listed which are likely to be difficult for beginners to identify or which are definitely irregular.

Throughout the vocabulary no attention is drawn to other persons or tenses than those used in the text, even though the spelling be the same.

Occasionally, when a very common word is used only in a rare or figurative sense, the ordinary meaning is given first in parenthesis. Example: un *anneau* (ring), coil.

### ABBREVIATIONS

| | |
|---|---|
| adj. adjective | mil. military |
| anat. anatomy | p. part. past participle |
| colloq. colloquial | p. simp. passé simple |
| cond. present conditional | (past definite) |
| conj. conjunction | part. participle |
| f. feminine | pl. plural |
| fam. familiar | prep. preposition |
| fut. future | pres. present |
| imp. imperfect | qn. quelqu'un |
| impers. impersonal | rail. railway |
| ind. indicative | sg. singular |
| inf. infinitive | subj. subjunctive |
| m. masculine | |

à  at, in, to, within, on

**abaisser**  to lower

**abandonner**  to abandon, give up

une **abeille**  bee

un **abîme**  abyss

**abord: d'** — first, at first, first of all

**aborder**  to reach, arrive on

un **abri**  shelter

**abriter**  to shelter

une **absence**  absence

**absolu**  absolute

**absolument**  absolutely

**absurde**  absurd

**acclamer**  to acclaim

un **accord**  agreement

**acheter**  to buy

**achever**  to complete, finish

un **acte**  act, deed

une **activité**  activity

une **addition**  addition, adding up of figures

**adieu**  good-bye, farewell

un **admirateur**  admirer

une **admiration**  admiration

**admirer**  to admire

**adorer**  to adore

**afin que**  in order that, so that  **afin de**  in order to

l'**Afrique** f.  Africa

**agaçant**  irritating

**agacer**  to set (the teeth) on edge, irritate, torment

un **âge**  age

**agir**  to act; **s'** — **de**  to be a question of

**agisse**  (pres. subj. 3d sg. of **agir**)

**agiter**  to agitate; **s'** — to fidget

**ah!**  oh! ah!

**aider**  to aid, help

**aies**  (pres. subj. 2d sg. of **avoir**)

un **aiguillage**  (rail.) switching; **cabine d'** — switchman's cabin

une **aiguille**  needle

un **aiguilleur**  railway switchman

**aiguisé**  sharp

**aille**  (pres. subj. 3d sg. of **aller**)

**aimer**  to love, like; **aimer bien**  to be very fond of

**ainsi**  thus, so

un **air**  air

**aisément**  easily

**ait**  (pres. subj. 3d sg. of **avoir**)

**ajouter**  to add

**ajuster**  to adjust

un **aliment**  aliment, food, nourishment

**aller**  to go; **s'en** — to go away; **un dessin va**  one drawing is all right

**allons**  (imperative 1st pl. of **aller**); **allons!**  come now!

**allumer**  to light

un **allumeur**  lighter

**alors**  then, so, in answer, at that time; **alors?**  then what?

un **ambassadeur**  ambassador

**améliorer** to improve

**l'Amérique du Sud,** *f.* South America

un **ami** friend

un **amour** love

**amusant** amusing, entertaining

**amuser** to amuse

un **an** year; **il y a six — s,** six years ago

**ancien, -ne** old

**anéantir** to annihilate, destroy

**animer** to animate, impel, stimulate

un **anneau** (ring), coil

une **année** year; **d' — en —** from year to year

**annoncer** to announce

**apaiser** to appease, quench

un **anniversaire** anniversary

**apercevait** (imp. ind. 3d sg. of **apercevoir**)

**apercevoir** to perceive, see coming

**apercevrai** (fut. 1st sg. of **apercevoir**)

**aperçu** (p. part. of **apercevoir**)

**aperçus** (p. simp. 1st sg. of **apercevoir**)

**aperçut** (p. simp. 3d sg. of **apercevoir**)

un **aplomb** plumb; **d' —** upright, firmly

**apparaissaient** (imp. ind. 3d pl. of **apparaître**)

**apparaître** to appear

une **apparence** appearance

une **apparition** apparition

**apparu** (p. part. of **apparaître**)

**apparut** (p. simp. 3d sg. of **apparaître**)

**appeler** to call; **s' —** to be called, be named

**appliquer** to apply; **s' —** to apply oneself, endeavor

**apporter** to bring

**apprenais** (imp. ind. 1st sg. of **apprendre**)

**apprendre** to learn; inform

**appris** (p. simp. 1st sg. and p. part. of **apprendre**)

**apprivoiser** to tame

**approcher** (to draw near); **s' —** to approach

**après** after

un, une **après-midi** afternoon

un **arbre** tree; **— de Noël** Christmas tree

un **arbuste** bush, shrub

l'**Arizona,** *m.* Arizona

une **armée** army

une **armure** (armor), tree guard, railing

**arracher** to pull or tear up, out or away

une **arrivée** arrival

**arriver** to arrive, happen, come up

**arroser** to water

un **arrosoir** watering-can

une **ascension** ascent; **faire l' — de** to climb

**asseoir** to seat; **s' — to** sit down

72

**assez** rather, enough

**assis** (p. simp. 1st sg. and p. part. of **asseoir**)

**assister** (à) to be present (at)

**assit** (p. simp. 3d sg. of **asseoir**)

**assoiras** (fut. 2d sg. of **asseoir**)

**assoit** (pres. ind. 3d sg. of **asseoir**)

un **astéroïde** asteroid, "one of the numerous minute planetary bodies revolving round the sun between the orbits of Mars and Jupiter." (The Concise Oxford Dictionary.)

**astreindre** to compel; s' — to compel oneself, attend to

un **astronome** astronomer

une **astronomie** astronomy

**attacher** to fasten, attach, secure

**atteindre** to reach

**atteint** (p. part. of **atteindre**)

**attendre** to wait, wait for

**attendrir** to touch, fill one's heart with tenderness and pity

une **attention** attention; **faire** — à to watch out for, pay attention to

**attentivement** attentively, carefully, intently

**aucun** any, no, not any

**au-dessus de** above

**auprès de** beside

**aurai** (fut. 1st sg. of **avoir**)

**aura** (fut. 3d sg. of **avoir**)

**aurais** (cond. 1st and 2d sg. of **avoir**)

**aurait** (cond. 3d sg. of **avoir**)

**auras** (fut. 2d sg. of **avoir**)

**auriez** (cond. 2d pl. of **avoir**)

**aurons** (fut. 1st pl. of **avoir**)

**aussi** so, as; also; — . . . **que** as . . . as

**aussitôt** at once, immediately

l'**Australie**, *f.* Australia

un **auteur** author

une **autorité** authority

**autour de** around

**autre** other; **nous autres** we, us; **d'autres** others

**autrefois** formerly, in the old days

**autrui** others

**avais** (imp. ind. 1st and 2d sg. of **avoir**)

**avait** (imp. ind. 3d sg. of **avoir**)

**avaler** to swallow

**avancer** to advance; **ne pas** — **à grand'chose** not to help very much

**avec** with; **d'** — from

une **aventure** adventure

**avertir** to warn

**aveugle** blind

un **avion** aeroplane, plane

un **avis**  opinion
**avoir**  to have; **avoir . . .
ans**  to be . . . years
old
**avouer**  to confess
**ayant**  (pres. part. of
**avoir**)

le **bâillement**  yawn
**bâiller**  to yawn
**baisser**  to lower, hang
la **baliverne**  nonsense,
bosh, balderdash
le **ballet**  ballet
la **banque**  bank; **placer
en —**  to put in the
bank
le **baobab**  baobab, mon-
key-bread tree
**battre**  to beat
**beau, bel, belle**  beautiful, handsome
**beaucoup**  much,  a
great deal
la **beauté**  beauty
le **bélier**  ram
**belle**  (*f.* of **beau**)
**ben!**  colloq. for **bien!**
**béni**  blest
**bercer**  to rock
le **besoin**  need; **avoir —
de**  to need
la **bête**  animal
**bien**  very, much, well,
hard, really, indeed,
else
**bien! voyons!**  really,
now!
**bientôt**  soon
le **bien**  good; **faire du —
(à)**  to do good (to)
**bizarre**  odd

le **blé**  wheat
le **boa**  boa; **serpent —**
boa constrictor
**boire**  to drink
**bois**  (pres. ind. 1st and
2d sg. of **boire**)
la **boîte**  box; **— de couleurs**  box of paints
**bon, -ne**  good, kind
le **bond**  bound
le **bonheur**  happiness
le **bonhomme**  fellow
le **bonjour**  good morning
la **bonté**  kindness
la **bouche**  mouth
**bouger**  to budge, stir,
move
le **boulon**  bolt
la **bouteille**  bottle
le **bouton**  (button), bud
le **bracelet**  bracelet
le **bras**  arm
**bredouiller**  to sputter,
stammer
**breveter**  to  grant  a
patent, to patent; **faire
—**  to patent, take out a
patent for (an inven-
tion)
le **bridge**  bridge (game of
cards)
**briller**  to shine, glitter
la **brindille**  sprig
la **brique**  brick
le **bruit**  noise, sound
**brûler**  to burn
**brusquement**  suddenly
la **brusquerie**  bluntness,
gruffness, abruptness,
suddenness; **avec —**
abruptly
**bu**  (p. part. of **boire**)

le **bureau**   desk; office
le **businessman**   businessman
**but**  (p. simp. 3d sg. of
**boire**)
**buvant**  (pres. part. of
**boire**)
le **buveur**   tippler

la **cabine**   cabin
le **cache-nez**   muffler
**cacher**   to hide
le **cadeau**   present
la **caisse**   the box, packing-
case
le **calcul**   arithmetic; cal-
culation
le **calendrier**   almanac
**calme**   calm, quiet
le **camarade**   comrade,
companion
le **cambouis**   engine-grease
**capable**   capable
**car**   for
la **carabine**   rifle
la **caravane**   caravan
le **carreau**   square; **à carreaux**   checked
la **carrière**   career
ìe **carrosse**   carriage
**casser**   to break
la **catastrophe**   catastrophe, disaster
la **cause**   cause; **à — de**
because of
**causer**   to cause, bring
upon
**cent**   one hundred
la **centaine**   a hundred
**cependant**   yet, nevertheless
**certain**   certain, sure

**cesser**   to cease, stop
**c'est-à-dire**   that is   to
say
**chacun**   each one
le **chagrin**   grief, sorrow
la **chaise**   chair
la **chambre**   chamber
le **champ**   field
le **champignon**   mush-
room
la **chance**   chance, luck;
**avoir de la —** to be
lucky; **ce n'est pas de
—** that is unfortunate
**changer**   to change; **se
—** to change oneself;
**— de place** to change
position
le **chant**   song
**chanter**   to sing
le **chapeau**   hat
**chaque**   each
**chasser**   to hunt
le **chasseur**   hunter
**chauffer**   to heat; **faire
—** to heat
le **chef-d'œuvre**   master-
piece
la **cheminée**   chimney
la **chenille**   caterpillar
**chercher**   to seek, look
for
le **cheveu**, pl. **cheveux**
hair
la **cheville**   ankle
**chez**   at, to, at the house
of; among; **— moi**
where I live
le **chiffon**   rag
le **chiffre**   figure
la **Chine**   China
**choisir**   to choose

75

**choquer** to shock

la **chose** thing; **autre —** a different thing

le **chou,** pl. **choux** cabbage

la **chute** fall, descent

le **ciel** sky

la **cigarette** cigarette

**cinq** five

**cinquante** fifty

**cinquième** fifth

**clos** closed

le **cœur** heart

le **coin** corner; **regarder du — de l'œil** to cast a sidelong glance at

la **colère** anger

la **collection** collection

**collectionner** collect

la **colombe** dove

**combien** how much, how many, how, to what extent

**comme** like, as, since, such as; as best, as though; how! — **ci et — ça** this way and that

**commencer** to begin, start; — **à** to begin to; — **de** to begin to; — **par** to begin by

**comment** how, —? how? —! what!

**commode** convenient

**compliqué** complicated

**compliquer** to complicate

**compréhensi-f, -ve** intelligent

**comprenais** (imp. ind.

1st sg. of **comprendre**)

**comprenait** (imp. ind. 3d sg. of **comprendre**)

**comprendre** to understand

**comprends** (pres. ind. 1st and 2d sg. of **comprendre**)

**comprennent** (pres. ind. 3d pl. of **comprendre**)

**comprenons** (pres. ind. 1st pl. of **comprendre**)

**compris** (p. simp. 1st sg. and p. part. of **comprendre**)

**comprit** (p. simp. 3d sg. of **comprendre**)

le **compte** count

**compter** to count

**condamner** to condemn; — **à mort** to condemn to death

la **condition** condition

la **confiance** confidence

**confier** to confide, tell

**confondre** to confuse

le **confrère** colleague

**confus** embarrassed, abashed

le **congrès** convention

**connais** (pres. ind. 1st sg. of **connaître**)

la **connaissance** acquaintance

**connaissent** (pres. ind. 3d pl. of **connaître**)

**connaît** (pres. ind. 3d sg. of **connaître**)

**connaître** to know, have met, be or become acquainted with

**connu** (p. part. of **con-naître**)

**connus** (p. simp. 1st sg. of **connaître**)

**conseiller** to advise, recommend

**conséquent: par —** con-sequently

**conserver** to keep

**considérable** consider-able

**considérer** to consider, examine

la **consigne** (mil.) orders

**consoler** to console, comfort

**consulter** to consult

le **contact** contact, en-counter

le **conte** tale; **— de fée** fairy-tale

la **contemplation** con-templation

**contenir** to restrain

**content** glad, pleased, satisfied

**contradictoire** contra-dictory, inconsistent

**contraire** contrary

**contre** against

**convaincre** to con-vince

la **copie** copy

le **coquelicot** field poppy

**coquet, -te** coquettish

la **corde** cord, rope

la **corne** horn

le **corps** body

**corriger** to correct

le **costume** costume

le **côté** side; **de —** aside; **à — de** beside

le **cou** neck

**couché** lying

**coucher** to put to bed; **se —** to go to bed; set

le **coucher** setting; **— de soleil** sunset

**couler** to flow, sink

la **couleur** color; paint

la **coulisse** side-scene, (pl.) wings

le **coup** blow, stroke; **— d'œil** glance; **d'un seul —** in a single blow, bite; **d'un —** in one glance; **un — de vent** puff of wind

le **courage** courage

**couramment** often

le **courant** current; **— d' air** draft

**courir** to run

la **courroie** strap

le **cours** course

la **course** race, running; **prendre le pas de —** to begin to run

**court** short

**couru** (p. part. of **courir**)

**craindre** fear

**crains** (pres. ind. 1st sg. of **craindre**)

**cramoisi** red(-faced)

la **cravate** tie

le **crayon** pencil; **— de couleur** colored pen-cil; **au —** in pencil

**crayonner** to sketch

**créer** to create, estab-lish

le **crépuscule** twilight

**creuser** to dig, hollow out

**crier** to cry out, call out

la **crise** attack

**croient** (pres. ind. 3d pl. of **croire**)

**croire** to believe, think to be true

**crois** (pres. ind. 1st and 2d sg. of **croire**)

**croître** to grow

**croyais** (imp. ind. 1st sg. of **croire**)

**croyait** (imp. ind. 3d sg. of **croire**)

**cru** (p. part. of **croire**)

**cueillir** to pick, pluck

le **cuir** leather

**cultiver** to cultivate

**curieu-x, -se** strange

la **curiosité** curiosity, object of curiosity

le **danger** danger

**dangereu-x, -se** dangerous

**dans** in, according to

la **danse** dance

**danser** to dance

**de, d'** of; to (before infinitive), from; by, with, about; **carrière — peintre** career as a painter

**débarrasser** to rid; **se — de** to get rid of

**debout** standing, upright

**décidé** resolute; **marcher —** to walk along resolutely

**décidément** certainly

**décider** to decide

**décoiffer** to dishevel,
derange the hair of

**déconcerté** disconcerted, baffled, put out, bewildered

**décourager** to discourage, dishearten; **se —** to be discouraged

la **découverte** discovery

**découvre** (pres. ind. 3d sg. of **découvrir**)

**découvrir** to discover

**découvris** (p. simp. 1st sg. of **découvrir**)

**découvrit** (p. simp. 3d sg. of **découvrir**)

**décrire** to describe

**déçu** disappointed

**dedans** inside

la **dédicace** dedication

**dédier** to dedicate

**défaire** to undo, loosen

**défendre** to defend

**définitivement** definitely

**dehors** outside; **en — de** outside of; apart from

**déjà** already

le **déjeuner** lunch; **le petit —** breakfast

**demander** to ask, ask for; **se —** to wonder

**demi** half

la **demi-confidence** half-confidence

le **demi-sourire** half-smile

se **démoder** to get out of fashion, become old-fashioned

la **démonstration** demonstration

le **démontage** the taking apart

le **départ** departure

**dépendre** to depend

**dépenser** to spend

**depuis** since; — **longtemps** for a long time

**déranger** to disturb

**dernie-r, -ère** last

**derrière** behind

**dès** from, as early as

**dès que** as soon as

le **désert** desert

**désigner** to designate, point out

**désirer** to desire

**désobéir** to disobey

la **désobéissance** disobedience

le **dessin** drawing, sketch

**dessiner** to sketch, draw

le **détail** detail

**détenir** to hold

**deux** two

**devait** (imp. ind. 3d sg. of **devoir**)

**devant** in front of

**devenir** to become

**deviens** (pres. ind. 2d sg. of **devenir**)

**devient** (pres. ind. 3d sg. of **devenir**)

**deviner** to guess, feel

**dévisser** to unscrew

**devoir** to have to, must, ought, should

le **diamant** diamond

le **dictateur** dictator

le **dieu** god

**différent** different

**difficile** difficult

**digérer** to digest

la **digestion** digestion

la **dimension** dimension, size

**dire** to say

**dirent** (p. simp. 3d pl. of **dire**)

**dis** (pres. ind. 1st sg. and p. simp. 1st sg. of **dire**)

**disais** (imp. ind. 1st sg. of **dire**)

**disait** (imp. ind. 3d sg. of **dire**)

la **discipline** discipline

**discr-et, -ète** discreet

**disent** (pres. ind. 3d pl. of **dire**)

**distinguer** to distinguish

**disparaître** to disappear

**disparu** (p. part. of **disparaître**)

la **disparition** disappearance

la **distraction** diversion, recreation, relaxation, entertainment

**distrait** absent-minded

**dit** (p. simp. 3d sg. and p. part. of **dire**)

**dites** (pres. ind. 2d pl. of **dire**)

**dix** ten

le **doigt** finger

**dois** (pres. ind. 2d sg. of **devoir**)

**doivent** (pres. ind. 3d pl. of **devoir**)

**donc** therefore, consequently, then, so

**donner** to give, be giving

**doré** golden

**dorment** (pres. ind. 3d pl. of **dormir**)

**dormir** to sleep

**dort** (pres. ind. 3d sg. of **dormir**)

**double** double

**doucement** slowly, softly, gently, sweetly

la **douceur** sweetness; sweet pleasure

le **doute** doubt; **sans —** doubtless

**douter** to doubt

**dou-x, -ce** sweet, precious

**douze** twelve

le **drame** catastrophe, tragedy

**dressé** raised

**droit** straight

le **droit** right

la **droite** right

**drôle** funny, odd; **— de bête** funny animal; **— de voix** funny voice; **— d'idée** funny idea

**dû** (p. part. of **devoir**)

la **dune** dune

**dur** hard

**durant** during, while continuing

**durer** to last

une **eau** water; **— à boire** drinking water

une **ébauche** rough draft

**ébaucher** to sketch; **— un sourire** to give a suspicion of a smile

un **échange** exchange

**échapper (à)** to escape

un **écho** echo

un **éclair** flash

**éclairer** to light up; illuminate, cast one's radiance over; **s'éclairer** (of stars) to come out

un **éclat** burst; **— de rire** burst or peal of laughter

**éclater** to burst

une **économie** saving

**économiser** to economize, treat thriftily, save

une **écorce** bark, shell

**écouter** to listen, listen to

**écraser** to crush, flatten

**s'écrier** to cry out, exclaim

**écrire** to write

**écris** (pres. ind. 1st sg. of **écrire**)

**écrivait** (pres. ind. 3d sg. of **écrire**)

**écrivons** (pres. ind. 1st pl. of **écrire**)

un **effet** effect, spectacle; **en —** indeed, just so

**s'efforcer** to strive, make great efforts

un **effort** effort; **faire un —** to tire oneself

**également** also, likewise, too

**égaré** lost

**égarer** to mislead; **s'égarer** to get lost

une **église** church

**eh! oui** oh, yes!

80

une **électricité** electricity
**élégant** elegant
un **éléphant** elephant
**élever** to raise
**éloigné** far away
**embaumer** to make (things) fragrant
**embellir** to embellish, make beautiful
**émerveiller** to astonish, amaze
**émeut** (pres. ind. 3d sg. of **émouvoir**)
**émouvant** moving, exciting
**émouvoir** to move; **s'émouvoir** to be moved, be stirred to excitement
**empêcher** to prevent; **s' — de** to prevent oneself from, help
**emporter** to carry away, take away
**ému** moved, touched
**émut** (p. simp. 3d sg. of **émouvoir**)
**en** in
**enchanter** to enchant, to cast an enchantment over
**encombrant** cumbersome
**encombrer** to encumber
**encore** again, still, yet, before
une **encre** ink; **à l' —** in ink
**endormait** (imp. ind. 3d sg. of **endormir**)
**endormir** to put to

sleep; **s' —** to go to sleep, fall asleep
**endort** (pres. ind. 3d sg. of **endormir**)
un **endroit** place, spot, locality
un, une **enfant** child
**enfermer** to shut up; **s' —** to shut oneself up; **— à clé** to lock up
**enfin** finally, at last
**enfoncer** to thrust *or* push in *or* down, drive in; **s' —** to sink
**enfouir** to bury
**enfourner** to put in the oven; **s' —** to shut oneself up
**s'enfuir** to flee, run away
**enhardir** to embolden; **s' —** to make bold, pluck up one's courage
une **énigme** enigma
une **enjambée** stride
**enlever** to take away
un **ennui** trouble
**ennuyer** to bore; **s' —** to be bored
**ennuyeux** boring, tedious, tiresome
**énorme** enormous, huge
**énormément** most dreadfully
**s'enquérir** to inquire
une **enquête** inquiry
**enquit** (p. simp. 3d sg. of **enquérir**)
**enrhumé: être si —** to have so bad a cold
**enrouler** to twine

81

ensemble together
un ensemble whole
ensoleillé lighted up by
a ray of sunshine, sunny
ensuite afterwards,
then
entasser to pile up,
crowd together
entendre to hear
entraîner to bring on
enti-er, -ère whole
entourer to put around
entre between, among;
d' — among; l'un d'
— eux one of them,
any one among them
une entrée entrance, entry;
— en scène entry
upon the stage
entrer to enter
entretenir to maintain
entrevis (p. simp. 1st
sg. of entrevoir)
entrevoir to catch a
glimpse of
entr'ouvert half-open
envers towards
une envie desire, longing
environ about
épargner to save
une épaule shoulder
éphémère ephemeral
une épine thorn
éponger to mop
une époque period, time
épouvantable frightful
éprouver to feel, ex-
perience
épuiser to exhaust; s'
— to wear oneself
out; give out; be near-
ly exhausted

une erreur error, mistake
une éruption eruption
escamoter to conjure
away; s' — to disap-
pear
une espèce species, kind
une espérance hope
un espoir hope
un esprit wit; faire de l'
— to be witty
essayer to try, attempt
essentiel, m. essential,
main or chief point
essentiellement essen-
tially, fundamentally
et and
étais (imp. ind. 1st and
2d sg. of être)
était (imp. ind. 3d sg.
of être)
les Etats-Unis, m. pl. the
United States
été (p. part. of être)
éteignaient (imp. ind.
3d pl. of éteindre)
éteignais (imp. ind. 1st
sg. of éteindre)
éteignit (p. simp. 3d sg.
of éteindre)
éteindre to extinguish,
to put out; s' — to be
extinguished, be dark-
ened; to die
éteins (pres. ind. 1st sg.
of éteindre)
éteint (pres. ind. 3d sg.
of éteindre)
éteint extinct, out
éternel eternal; son —
cache-nez the muf-
fler he always wore
une étiquette etiquette

**s'étirer** to stretch oneself
une **étoile** star
**étonner** to surprise; **s'**
— to be surprised
un **étonnement** astonish-
ment
**étrange** strange
**être** to be, to go; **il**
(impers.) **est** there is;
**il s'en fut** he went
away, he departed
**étudier** to study
**eu** (p. part. of **avoir**)
**eûmes** (p. simp. 1st pl.
of **avoir**)
l'**Europe,** *f.* Europe
**européen, -ne** Euro-
pean; **à l'européenne**
in the European fash-
ion
**eus** (p. simp. 1st sg. of
**avoir**)
**eusse** (imp. subj. 1st sg.
of **avoir**)
**eut** (p. simp. 3d sg. of
**avoir**)
**eût** (imp. subj. 3d sg. of
**avoir**)
s'**évader** to get away
une **évasion** escape
**évidemment** obviously
une **évidence** something
self-evident, obvious
truth
**exact** exact, true
une **exception** exception
une **excuse** excuse
**exécuter** execute, carry
out
un **exemplaire** specimen
un **exemple** example; **par**
— for example

un **exercice** exercise
**exiger** to require
**exister** to exist
**expédier** to dispatch,
send off
une **expérience** experiment
un **expert** expert
une **explication** explanation
**expliquer** to explain
**explorateur** explorer
**extraordinaire** extraor-
dinary
**extrêmement** extremely

**fabriquer** to make, produce
**facile** easy
la **façon** manner; **à la** —
**de** after the manner
of
**faible** weak
**faille** (pres. subj. 3d sg.
of **falloir**)
la **faim** hunger; **avoir** —
to be hungry
le **fainéant** idler
**faire** to make, cause,
do; say; be, have, take;
**ça ne fait rien** that
doesn't matter, makes
no difference; — **du**
**bien** to do good;
— **de** to do with; —
**un métier** to follow a
profession
**fais** (pres. ind. 1st and
2d sg. and imperative
of **faire**)
**faisaient** (imp. ind. 3d
sg. of **faire**)
**faisais** (imp. ind. 1st sg.
of **faire**)

faisait (imp. ind. 3d sg. of faire)

fait (pres. ind. 3d sg. and p. part. of faire)

faites (pres. ind. 2d pl. and imperative 2d pl. of faire)

il fallait (imp. ind. of falloir)

falloir to be necessary

il fallut (p. simp. 3d sg. of falloir)

familie-r, -ère familiar

la fantaisie fancy, desire

fatigant tiring, tiresome

la fatigue fatigue

fatigué tired

fatiguer to tire; se — to grow tired

il faudra (fut. 3d sg. of falloir)

il faudrait (cond. of falloir)

se faufiler to crawl away, disappear

il faut (pres. ind. 3d sg. of falloir)

la faute fault; — de for lack of

le fauve wild beast

fau-x, -sse false

favorable favorable

la fenêtre window

fera (fut. 3d sg. of faire)

ferai (fut. 1st sg. of faire)

ferait (cond. 3d sg. of faire)

fermement firmly

fermer to close, shut

la fête feast, treat

le feu fire; — de cheminée chimney fire

la feuille (leaf), sheet

fidèle faithful

la fidélité fidelity, loyalty

fier proud

la fièvre fever

la fille girl

finir to finish; en — to put an end to a thing

fis (p. simp. 1st sg. of faire)

fit (p. simp. 3d sg. of faire)

fît (imp. subj. 3d sg. of faire)

la flamme flame

flâner to loaf, go loafing about

la fleur flower

fleuri all abloom

le fleuve river

la fois time; une — once; il était une — once upon a time there was; à la — at the same time; une — ou l'autre at some moment or other

le fond depths, bottom

font (pres. ind. 3d pl. of faire)

la fontaine spring of fresh water

forcer to force

la forêt forest

la forme form; sous — de in the form of

fort strongly, deeply

fou, fol, folle crazy

la foudre lightning, thunderbolt

84

**fouiller** to dig into
le **foulard** silk scarf
**fournir** to furnish
**fragile** fragile
**frais, fraîche** fresh
le **franc** franc
la **France** France
**frapper** to strike; — **les mains** to clap one's hands
le **frère** brother
**friper** to rumple
**froid** cold; **faire** — to be cold (weather)
**frôler** to graze, skirt
le **front** forehead
**frotter** to rub
le **fruit** fruit; result
**fus** (p. simp. 1st sg. of être)
le **fusil** gun
**fut** (p. simp. 3d sg. of être)
**fût** (imp. subj. 3d sg. of être)

**gagner** to earn, gain
le **garçon** boy
la **gauche** left
**gémir** to groan, creak
**gênant** annoying, disturbing
**gêner** to inconvenience, embarrass
le **général** general
le **genou** knee
le **genre** kind
les **gens** people; — **sérieux** important *or* reliable people (frequently both)
**gentil, -le** nice, good

**gentiment** gently, sweetly
le **géographe** geographer
la **géographie** geography
le **géranium** geranium
**gérer** to administer
**germer** to germinate, come up, spring up
le **geste** gesture
la **girouette** weather-vane
**glacé** frozen, chilled
le **globe** globe, glass globe
le **golf** golf
**gonfler** to swell
la **goutte** drop
le **gouvernement** government
la **grâce** favor; — **à** thanks to
**gracier** to pardon
la **graine** seed
la **grammaire** grammar
**grand** tall (in stature), large, big (in size); great; **les grandes personnes** (the) grown-ups
**grand'chose** very much
**grandiose** grandiose, magnificent
**grandir** to grow, grow up, grow big, grow tall
le **granit** granite
**grave** grave, serious
**gravement** gravely, seriously, solemnly
le **grelot** (small) round bell
la **griffe** claw
**griffonner** to scrawl, scribble, toss off
**grincheu-x, -se** peevish

85

**gronder** to roar
**gros, -se** large, big, great
**guère** scarcely; **ne ...** — not much
la **guerre** war
le **guide** guide

**habiller** to dress; **s'** — **le cœur** to prepare one's heart (to receive some one)
un **habit** dress-coat
**habiter** to inhabit, live in, on
la **'halte** halt; **faire** — to stop short
le **'hanneton** May-bug
le **'hasard** chance; **à tout** — to be on the safe side; **au** — at random; **par** — by chance
**'hâter** to hasten; **se** — to hasten
la **'hâte** haste, hurry; **avoir** — (**de**) to be in a hurry (to)
**'hausser** (to raise), shrug
**'haut** high
**hein!** eh! what!
**'hem!** hem! hum!
une **herbe** grass; blade of grass; weed; **de bonnes herbes** good plants; **de mauvaises herbes** bad plants, weeds
une **hermine** ermine
**hésiter** to hesitate, waver, falter
une **heure** hour; **sept**

**heures** seven o'clock
**heureu-x, -se** happy
**heureusement** fortunately
**'hisser** to hoist
une **histoire** story, history
**'hocher** to toss
un **homme** man
**honnête** honest
la **'honte** shame; **faire** — to make ashamed; **avoir** — to be ashamed
une **horreur** horror
**'hors de** out of
**'huit** eight; — **jours** a week
**'huitième** eighth
une **humanité** humanity
une **humeur** humor; **mauvaise** — ill humor
**humilier** to humiliate, embarrass

**ici** here; **par** — this way
une **idée** idea
**ignorer** not to know, not to know about
une **île** island
**illuminé** brilliantly lighted
**illuminer** to light up
un **îlot** islet
une **image** picture
une **imagination** imagination
**s'imaginer** to imagine
une **immensité** immensity
**immobile** motionless
**impitoyable** pitiless, relentless

une **importance** importance
**important** important
**importer** to matter; **n'-importe** no matter; **n'importe quoi** no matter what; **n'importe où** anywhere
**imposer** to impose
**impressionnant** impressive
un **inconvénient** disadvantage, harm
les **Indes,** *f.* India
une **indication** indication, direction
une **indiscipline** insubordination
une **indulgence** indulgence
**indulgent** indulgent
**infester** to infest
**infliger** to inflict
**informer** to inform; **s'** — to inquire
**injuste** unjust, not fair
**inoffensi-f, -ve** inoffensive
s'**inquiéter** to worry
une **installation** installation
**installer** to install, set, fit up
un **instant** instant
**instruire** to instruct; **s'** — to improve oneself
un **insuccès** failure
une **intelligence** intelligence; **effort d'** — mental effort
**intelligent** intelligent
**interdire** to forbid
**interdis** (pres. ind. 1st sg. of **interdire**)
**intéressant** interesting

**intéresser** to interest; **s'** — **à** to take an interest in
un **intérêt** interest
un **intérieur** interior, inside
**international** international
**interroger** to question
**interrompre** to interrupt
**intimider** to intimidate, frighten
**intriguer** to puzzle, perplex, arouse the curiosity of
une **invention** invention
**inverse** inverse; contrary; **en sens** — in the opposite direction
**inutile** useless
**invisible** invisible
**ira** (fut. 3d sg. of **aller**)
**irréparable** irreparable
**irrité** irritated, angry
**irriter** to irritate
**isoler** to isolate
un **ivrogne** drunkard, tippler

**jamais** never, ever; **ne** ... — never
la **jambe** leg
le **jardin** garden
**jaune** yellow
le **jet** jet
**jeter** to throw; **se** — to throw oneself
le **jeu,** *pl.* **jeux** game
le **jeudi** Thursday
**jeune** young
**joli** pretty, lovely

**jouer** to play; **faire —** to set to working

le **jour** day; **un —** some day; **tous les jours** every day; **il y a huit jours** a week ago

la **journée** day (long)

le **juge** judge

**juger** to judge

la **jungle** jungle

**jusqu'à** until; as far as, to; **— ce que** until

**juste** just

**justement** just, exactly

la **justice** justice

**là** there, here

**là-bas** down there, yonder, over there

**là-dedans** in there

**là-dessus** on that

**là-haut** up there

**lâcher** to let go, lay aside

**laid** ugly

**laisser** to leave, let, lay; **laisse-moi faire** leave it to me

la **lampe** lamp

le **lampion** lamp, lantern

**lancer** to throw, throw out; **— à quelqu'un** flash back at someone

le **langage** language

**large** wide; **de —** wide

la **larme** tear

la **lassitude** weariness

la **leçon** lesson

la **légende** legend

**lég-er, -ère** light; slight; **à la légère** lightly, carelessly, in-considerately, thoughtlessly

le **lendemain** next day

**lentement** slowly

**lever** to raise

le **lever** rising, getting up; **— du jour** daybreak; **— du soleil** sunrise

la **lèvre** lip

le **lien** tie, bond

le **lieu** place; **au — de** instead of

**lire** to read

**lise** (pres. subj. 3d sg. of **lire**)

le **livre** book

la **locomotive** locomotive; **homme de la —** locomotive engineer

**loger** to lodge, house, accommodate, place, fit in

**loin** far, far away; **de — from** far away

**long, -ue** long; **de —** long; **en savoir plus — to** know more about it

**longtemps** a long time, long

**lorsque** when

la **louange** praise

**lourd** heavy

**lucide** clear-sighted, sane

la **lueur** gleam of light

**lugubre** lugubrious

**lui-même** himself

la **lumière** light

la **lune** moon

**mâcher** to chew
la **machine** engine
**magnifique** magnificent
la **main** hand; **à la —** in the hand
**maintenant** now
**mais** but; **— non!** why no! **— oui!** why yes! of course!
la **maison** house
la **majesté** majesty
**majestueusement** majestically
**majestueu-x, -se** majestic, stately
**mal** badly, poorly
le **mal** difficulty, trouble, harm; **avoir —** to suffer; **avoir beaucoup de —** to have a hard time
**malade** sick, ill, sickly
**maladroit** awkward
le **malentendu** misunderstanding
**malgré** in spite of
le **malheur** misfortune
**malheureusement** unfortunately
**malheureux** unhappy
**mangeassent** (imp. subj. 3d pl. of **manger**)
**manger** to eat
**manqué** missed, lost
**manquer** to lack, be lacking, not to have
le **manteau** mantle
le **marchand** merchant, store-keeper
la **marche** walk; **se mettre en —** to start walking
**marcher** to walk

la **margelle** edge (of a well)
le **marteau** hammer
le **matin** morning; **au —** in the morning; **au — de** on the morning of; **le —** in the morning; **un —** some morning, one morning
**mauvais** bad, ill
le **mécanicien** mechanic
la **méchanceté** spite
**méchant** malicious, mean
la **mèche** lock (of hair)
**méditati-f, -ve** pensive
**méditer** to meditate, meditate upon
le **meeting** big public assembly
**meilleur** better, best
la **mélancolie** melancholy, sadness, dejection
**mélancolique** melancholy
**mélanger** to mix, to mix up
**même** even; same; **un même . . .** the same, a single . . .
**menacer** to threaten
**mener** to lead
le **mensonge** falsehood, untruth
**mente** (pres. subj. 3d sg. of **mentir**)
**mentir** to lie, tell lies
**mépriser** to scorn
la **mer** sea
**merveilleu-x, -se** wonderful
la **messe** mass

mesurer to measure
le **métal,** pl. **métaux** metal
le **métier** trade, profession
le **mètre** meter
**mettais** (imp. ind. 1st sg. of **mettre**)
**mettre** to put; **se — en route** to set out
**meurt** (pres. ind. 3d sg. of **mourir**)
le **midi** noon
le **miel** honey
**mieux** better; **le —** (the) best
la **migration** migration
le **milieu** middle
**mille** thousand, a thousand
le **mille** mile
le **milliard** billion
le **million** million
**mîmes** (p. simp. 1st pl. of **mettre**)
**mince** slim
le **ministre** minister
le **minuit** midnight
**minuscule** tiny
la **minute** minute; **par —** every minute
**miraculeu-x, -se** miraculous
**mit** (p. simp. 3d sg. of **mettre**)
le **modèle** model
**modeste** modest
**modestement** modestly
**moindre** smallest
**moins** less; **au —** at least
le **mois** month
le **monarque** monarch
le **monde** world, people;

**tout le —** everybody
**monotone** monotonous
la **monotonie** monotony
le **monsieur** mister, gentleman
la **montagne** mountain
**montrer** to show
**moquer** to mock; **se — de** to laugh at, make fun of, jeer at, not to care, care nothing for
le **moraliste** moralist
la **moralité** moral character, integrity
**morde** (pres. subj. 3d sg. of **mordre**)
**mordre** to bite
la **morsure** bite
**mort** (p. part. of **mourir**)
la **mort** death
le **mot** word
le **moteur** motor, engine
la **mouche** fly
le **mouchoir** handkerchief; **— à carreaux rouges** red checkered handkerchief
**mouiller** to moisten
**mourir** to die
le **mouton** sheep
le **mouvement** impulse, movement
le **moyen** way
le **mur** wall
la **muselière** muzzle
la **musique** music, melody
le **mystère** mystery
**mystérieu-x, -se** mysterious

**naï-f, -ve** naïve

90

**naître** to be born; **faire
—** to bring to life
**naïvement** naïvely
le **naufragé** shipwrecked
person
le **navire** ship
**ne, n'** not; **ne (. . .) pas,
point** not; **ne (. . .)
jamais** never; **ne (...)
plus** no longer; **ne...
que** only, not ...
except; **ne ... ni ...**
neither ... nor
**né** (p. part. of **naître**)
**négliger** to neglect
**nègre** negro
la **neige** snow
**neuf** nine
le **nez** nose
**ni** neither; **ne ... ni ...
ni** neither ... nor
le, la **Noël** Christmas
**noir** black
le **nom** name
le **nombre** number
**nombreu-x, -se** numer-
ous
la **nonchalance** nonchalance
la **note** note
**noter** to note down,
record
**nouveau, nouvel, nou-
velle** new; **de nou-
veau** again
la **Nouvelle Zélande**
New Zealand
la **nuit** night; **la —** at
night; **bonne —** good
evening; **cette —** to-
night; last night
**nul, -le** no

le **numéro** number

**obéir** to obey
une **obéissance** obedience
**objecter** to object
un **objet** object
**obligé** obliged
une **occupation** occupation,
something to take up
one's time
**occupé** busy
**occuper** to occupy; **— à**
occupy in, busy in; **s'
— de** to be busy with
un **océan** ocean
un **œil**, pl. **yeux** eye
**oh!** oh!
un **oiseau** bird; **— sauvage**
wild bird; **— de mer**
sea bird
une **oisiveté** idleness
**ombrageu-x, -se** easily
offended, difficult to
deal with
**onze** eleven
un **opéra** opera
une **opinion** opinion
**or** now; but; well, and
yet
un **or** gold; **d' —** golden
**ordinaire** ordinary
**ordonner** to order
un **ordre** order
une **oreille** ear
un **orgueil** pride
**orgueilleu-x, -se** proud
une **origine** origin
**orner** to adorn
**oser** to dare
**ou** or
**où** where; **d' —** from
which

oublier to forget
oubliez (imperative 2d pl. of **oublier**)
ouf! phew!
oui yes; **ah** —? really?
un **outil** tool
ouvert (p. part. of **ouvrir**)
ouvrir to open
ouvrit (p. simp. 3d sg. of **ouvrir**)

le **Pacifique** Pacific Ocean
la **page** page
le **pain** bread
la **paix** peace
**pâle** pale
le **pan** fold
la **panne** break-down, accident
le **papier** paper
le **papillon** butterfly
le **paquet** package, bundle
**par** by, with, in; — **exemple** for example
paraissait (imp. ind. 3d sg. of **paraître**)
paraisse (pres. subj. 3d sg. of **paraître**)
paraissent (pres. ind. 3d pl. of **paraître**)
paraît (pres. ind. 3d sg. **paraître**)
paraître to seem
le **paravent** screen
**parce que** because
le **pardon** pardon
pardonner to pardon
paresseu-x, -se lazy
le **paresseux** lazy man
parfait perfect
parfois sometimes

parler to speak, talk
pars (imperative 2d sg. **partir**)
la **part** part; **de la** — **de** on the part of: **nulle** — nowhere; **quelque** — somewhere
partir to leave
partout everywhere
parurent (p. simp. 3d pl. of **paraître**)
parut (p. simp. 3d sg. of **paraître**)
parvenait (imp. ind. 3d sg. of **parvenir**)
parvenir to succeed, to reach
parviennent (pres. ind. 3d pl. of **parvenir**)
parvins (p. simp. 1st sg. of **parvenir**)
le **pas** step, footstep; **faire un** — to take a step
le **passant** passerby
le **passager** passenger
**passer** to pass; **se** — to happen
la **patience** patience
**patient** patient
la **patte** foot
**pauvre** poor, poor little
le **pays** country
le **paysage** landscape
la **peine** pain, trouble, grief; **à** — hardly, scarcely; **ce n'est pas la** — it is not worth the trouble; **avoir de la** — to suffer
peiner to grieve
le **peintre** painter
**pencher** to incline,

92

bend; — **sur** to bend
down over; **se —** to
bend over

**pendant**, prep. during

**pendant**, adj. dangling

la **pensée** thought

**penser** to think; — **à**
to think of

le **pensum** extra task, tiresome task

**perdre** to lose, waste; **se
—** get lost

le **père** father

**perfectionné** perfected

**perforer** to perforate,
bore through

**perplexe** puzzled

**personne** anybody, anyone, nobody

la **personne** person

**peser** to weigh

le **pétale** petal

**petit** little

**peu** little; **un —** somewhat, slightly, at all;
**— à —** little by little,
gradually

le **peuple** people

**peupler** to people

la **peur** fear, fright; **faire
— (à qn)** to frighten
(some one)

**peut** (pres. ind. 3d sg. of
**pouvoir**)

**peut-être** perhaps

**peuvent** (pres. ind. 3d
pl. of **pouvoir**)

**peux** (pres. ind. 1st and
2d sg. of **pouvoir**)

ie **pied** foot

la **pierre** stone

**piloter** to pilot

la **pilule** pill

le **piquet** stake

le **pire** worst

la **pitié** pity; **faire —** to
move to pity

la **place** place, room;
square

**placer** to place, put

**plaignait** (imp. ind. 3d
sg. of **plaindre**)

**plaindre** to pity; **se —**
to complain, grumble

**plaire** to please

le **plaisir** pleasure; **faire
— à qn** to please
some one

**plaît** (pres. ind. 3d sg. of
**plaire**)

la **planète** planet; **sa —
d'origine** the planet
he came from

la **plante** plant

**plein** full

**pleurer** to weep, cry,
shed tears

le **pli** fold, ridge, undulation

**plonger** to plunge; **se —**
to bury oneself

**plus** more; **ne** (. . .) **—**
no more, no longer;
**non —** either; **de —**
more; **de — en —**
more and more; **— . . .
—** the more . . . the
more

**plutôt** rather, sooner,
preferably

la **poche** pocket

**poétique** poetic

le **point** point, place

**pointu** pointed

93

le **pôle** pole; — **nord** North Pole; — **sud** South Pole

**poliment** politely

la **politique** politics

le **pommier** apple tree

**ponctuellement** promptly

la **population** population, people

la **portée** range, level; **se mettre à la — de** to come down to the level of

**porter** to carry

le **portrait** portrait

**poser** to place; — **une question** to ask a question

**posséder** to possess

**possible** possible

la **poule** hen, chicken

la **poulie** pulley

la **poupée** doll; — **de chiffons** rag doll

**pour** for, to, as; in order to, to; — **que** in order that

**pourpre** royal purple

**pourquoi** why

**pourra** (fut. 3d sg. of **pouvoir**)

**pourrait** (cond. 3d sg. of **pouvoir**)

**pourras** (fut. 2d sg. of **pouvoir**)

**poursuivent** (pres. ind. 3d pl. of **poursuivre**)

**poursuivis,-t** (p. simp. 1st, 3d sg. of **poursuivre**)

**poursuivre** to pursue, continue, go on

**pourtant** however, nevertheless

la **pousse** shoot

**pousser** to push

**pouvaient** (imp. ind. 3d pl. of **pouvoir**)

**pouvais** (imp. ind. 1st sg. of **pouvoir**)

**pouvait** (imp. ind. 3d sg. of **pouvoir**)

**pouvoir** can, to be able; **puis-je** may I

le **pouvoir** power

le **préambule** preamble

le **précédent** preceding one

**précis** accurate

la **précision** precision

**préférer** to prefer

**premi-er, -ère** first

**prend** (pres. ind. 3d sg. of **prendre**)

**prendre** to take, seize; assume; **s'y —** to go about it; — **en note** to note down

**prenne** (pres. subj. 3d sg. of **prendre**)

le **préparatif** preparation

**préparer** prepare, produce

**près de** near; **de très près** intimately, closely

la **présence** presence

**pressé** in a great hurry

se **presser** to hurry

**prêt** ready

la **preuve** proof

le **prince** prince

**pris** (p. simp. 1st sg. and p. part. of **prendre**)

94

**prit** (p. simp. 3d sg. of **prendre**)

le **prix** value

le **problème** problem

**prochain** (next), imminent

**proche** near

**profiter** to profit; — **de**, to take advantage of

la **proie** prey

le **projet** plan

**promener** to take out for a walk; **se —** to walk, go for a walk, stroll along; **le vent les promène** the wind blows them about

la **promesse** promise

**prononcer** to pronounce

**proposer** to propose, offer

la **proposition** offer

**protéger** to protect

la **provision** supply

**pu** (p. part. of **pouvoir**)

**publi-c, -que** public

**puis** then

**puis** (pres. ind. 1st sg. of **pouvoir**)

**puisque** since

**puissant** powerful

**puisse** (pres. subj. 3d sg. of **pouvoir**)

**puissent** (pres. subj. 3d pl. of **pouvoir**)

le **puits** well

**pur** pure

**pusse** (imp. subj. 1st sg. of **pouvoir**)

**put** (p. simp. 3d sg. of **pouvoir**)

**quand** when, whenever; — **même** just the same

**quant à** as for

**quarante** forty

**quatre** four

**quatrième** fourth

**que!** how!

**que, qu'** conj. that, than, as

**quel!** what a!

**quelconque** ordinary

**quelque** some

**quelque chose** something

**quelquefois** sometimes

**quelqu'un** some one

la **question** question

**questionner** to question

**quinze** fifteen

**quitter** to leave

**quoi?** what?

la **racine** root

**raconter** to tell, tell about, relate

le **radeau** raft

le **radis** radish

la **raison** reason

**raisonnable** sensible, reasonable

le **raisonnement** reasoning

**raisonner** to reason

**rallumer** to light again

**ramener** to bring back, gather in

**ramoner** to sweep chimneys, clean out

la **rancune** resentfulness

le **rang** row, ring

**rapide** rapid

le **rapide** express train

**rappeler** to recall; remind; **se** — to remember

**rapporter** to bring back

**rare** rare

**rassurer** to reassure

le **rat** rat

**ravissant** charming

le **rayonnement** radiation; radiance

**rayonner** to radiate; shine

**recevais** (imp. ind. 1st sg. of **recevoir**)

**recevoir** to receive

**réchauffer** to warm up again; **se** — to revive

le **récit** report, account

**reçoit** (pres. ind. 3d sg. of **recevoir**)

**recommencer** to begin again

**recompter** to recount, count again

**reconnaître** to recognize, identify

**reçu** (p. part. of **recevoir**)

**redescendre** to come down again

**redevenir** to become again

**redevint** (p. simp. 3d sg. of **redevenir**)

**refaire** to do again

**refis** (p. simp. 1st sg. of **refaire**)

**refit** (p. simp. 3d sg. of **refaire**)

**réfléchir** to reflect, ponder, consider

la **réflexion** thought, reflection

**refuser** to refuse, reject

le **regard** look

**regarder** to look, look at, stare at

la **région** region

le **registre** register

**régler** to regulate

**régner** to rule

le **regret** regret

**regretter** to regret

**régulièrement** regularly, steadily

**rejoindre** to overtake

**réjouir** to cheer; **se** — (**de**) to rejoice (at), be delighted (with)

**relever** to raise; **se** — to get up

**remarquer** to remark, say; **faire** — to point out

**remettre** to put back; to postpone, put off; **se** — **à** take up again; **se** — **en route** to set out again

**remis** (p. simp. 1st sg. of **remettre**)

le **remords** remorse

**remuer** to stir, move

le **renard** fox

**rencontrer** to meet, encounter

le **rendez-vous** appointed meeting

**rendre** to give back, send back; **se** — **compte de** to realize; — **visite à** to call upon

**renoncer** to renounce, give up, let go of

**rentrer**  to go back

**répandre**  to spread; —
**un bruit**  to make a
noise that resounds all
over the place

la **réparation**  repair, re-
pairs

**réparer**  to repair

**repartir**  to set out again
on one's way

**répéter**  to repeat

**répliquer**  to reply

**répondre**  to answer, reply

la **réponse**  reply

le **repos**  rest, repose, relaxation

**reposer**  to rest; **se** —  to
relax

**reprendre**  to resume,
continue; — **courage**
to take courage once
more

**représenter**  to repre-
sent, show

**reprit**  (p. simp. 3d sg. of
**reprendre**)

le **reproche**  reproach

la **réputation**  reputation

la **réserve**  reserve, discre-
tion

**résister**  to resist

**résoudre**  to solve

**résous**  (pres. ind. 1st sg.
of **résoudre**)

**respecter**  to respect

**respectueusement**  re-
spectfully

**respirer**  to breathe,
smell

**responsable**  responsible

**ressemblant**  lifelike

**ressembler** (**à**) to resemble; to resemble its sub-
ject, look like

**rester**  to remain, stand

**retenir**  to hold back, restrain

se **retourner**  to turn round

**retrouver**  to find again

**réussir**  to succeed, be
successful; to do suc-
cessfully, make

**réussis**  (p. simp. 1st sg.
of **réussir**)

**rêvasser**  to dream idly

le **rêve**  dream; **comme en**
— as in a dream

(se) **réveiller**  to wake, wake
up

**révéler**  to reveal

**revenir**  to return, come
back; — **au même**  to
amount to the same
thing

**revenu**  (p. part. of **revenir**)

**rêver**  to dream

le **réverbère**  street lamp;
**allumeur de réver-
bères**  lamplighter

la **rêverie**  reverie

**reviennent**  (pres. ind.
3d pl. of **revenir**)

**reviens**  (imperative 2d
sg. of **revenir**)

**revient**  (pres. ind. 3d
sg. of **revenir**)

**revins**  (p. simp. 1st sg.
of **revenir**)

**revint**  (p. simp. 3d sg.
of **revenir**)

**revoir**  to see again, look
at again

97

la **révolution** revolution
le **revolver** revolver
le **rhumatisme** rheumatism
le **rhume** cold
  **ri** (p. part. of **rire**)
  **riait** (imp. ind. 3d sg. of **rire**)
  **riche** rich
  **ridicule** ridiculous
le **ridicule** ridicule
  **rien** nothing; **ne** (. . .)
  — nothing, anything; **en** — in no respect; — **d'autre** anything else, nothing else
  **rient** (pres. ind. 3d pl. of **rire**)
  **riposter** to retort
  **rire** to laugh; — **de** to laugh at
le **rire** laughter
le **risque** risk
  **risquer** to risk
  **rit** (p. simp. 3d sg. of **rire**)
le **rite** rite
le **roc** rock
le **roi** king
  **rond** round
le **rond** circle; **tourner en** — to turn round and round
  **rose** rosy, pink, rose-colored
la **rose** rose
le **rosier** rose-bush
  **rouge** red
  **rougir** to blush
  **rouillé** rusty
la **route** road
le **royaume** kingdom
la **ruine** ruin

la **ruse** ruse, stratagem
la **Russie** Russia

le **sable** sand
le **sage** wise man, man of true wisdom
la **sagesse** wisdom
le **Sahara** the Sahara desert
  **saharien, -ne** of the Sahara
  **sais** (pres. ind. 1st and 2d sg. of **savoir**)
  **sait** (pres. ind. 3d sg. of **savoir**)
  **salé** salty
  **saluer** to salute, bow to, make bows
le **sanglot** sob
  **sans** without
  **satisfait** satisfied
  **sauf** except
  **saurai** (fut. 1st sg. of **savoir**)
  **sauter** to jump; **faire** — to knock out
  **sauvage** wild
  **savais** (imp. ind. 1st sg. of **savoir**)
le **savant** scholar
  **savent** (pres. ind. 3d pl. of **savoir**)
  **savoir** to know, know how, be able; **en** — **plus long** to know more about it
la **scène** stage
la **science** science
le **seau** bucket
  **sec, sèche** dry
  **second** second
la **seconde** second

**secouer** to shake, toss
**secourir** to help
le **secret** secret
la **semaine** week; **toutes
les — s** every week;
**par —** a week
**semblable** alike, the
same; **— à** like
le **semblant** semblance;
**faire —** to pretend
**semblât** (imp. subj. 3d
sg. of **sembler**)
**sembler** to seem
le **sens** sense, meaning, direction; **en — inverse**
in the opposite direc-
tion
**sentais** (imp. ind. 1st sg.
of **sentir**)
**sentait** (imp. ind. 3d sg.
of **sentir**)
le **sentiment** feeling, sense
**sentir** to feel; **se —** to
feel (oneself)
**sentis** (p. simp. 1st sg. of
**sentir**)
**sentit** (p. simp. 3d sg. of
**sentir**)
**sept** seven
**septième** seventh
**sera** (fut. 3d sg. of **être**)
**serai** (fut. 1st sg. of
**être**)
**serais** (cond. 1st sg. of
**être**)
**serait** (cond. 3d sg. of
**être**)
**seras** (fut. 2d sg. of **être**)
**sérieu-x, -se** serious, responsible, of conse-
quence; **au —** seri-
ously

**seront** (fut. 3d pl. of
**être**)
le **serpent** serpent; **— boa**
boa constrictor
**serré** tight, crowded together, close together;
**le coeur —** (with) a
heavy heart
**serrer** to clasp
**sert** (pres. ind. 3d sg. of
**servir**)
**servait** (imp. ind. 3d sg.
of **servir**)
**servent** (pres. ind. 3d
pl. of **servir**)
**servir** to serve, be useful,
tend; **— de** serve as,
to be of use as; **— à** to
be used for; **se — de**
to use
**seul** alone, only, single;
**tout seul** all alone;
**toutes seules** by them-
selves; **le —** the only
one
**seulement** only
**si, s'** if, whether; so; **—
même** even if
**si** yes
la **Sibérie** Siberia
**siéger** to be seated
**signifier** to mean
le **silence** silence
**simple** simple
**simplement** simply,
merely; with simplicity
la **simplicité** simplicity
**simplifié** simplified
**sinon** if not
le **sire** sire
**six** six
**sixième** sixth

**soient** (pres. subj. 3d pl. of **être**)

la **soif** thirst

**soigner** to take care of

**soigneusement** carefully

le **soin** care

le **soir** evening; le — in the evening

**sois** (pres. subj. 2d sg. of **être**)

**soit** (pres. subj. 3d sg. of **être**)

**soixante-douze** seventy-two

le **sol** soil

le **soleil** sun

**solliciter** to solicit, request, ask

le **son** sound

**songer** to dream; — à to think of

la **sorte** sort, kind

**sortir** to take out; emerge, come forth

**sortis** (p. simp. 1st sg. of **sortir**)

**sot, -te** silly

**soucieu-x, -se** worried

**soudain** suddenly

**souffler** to pant

**souffrir** to suffer

**souhaiter** to wish

**soulever** to raise

le **soupir** sigh

**soupirer** to sigh

la **source** source

**sourire** to smile

le **sourire** smile

**sourit** (p. simp. 3d sg. of **sourire**)

**sous** under

me **souvenais** (imp. ind. 1st sg. of **se souvenir**)

**se souvenir (de)** to remember, recall

le **souvenir** memory

te **souviens** (pres. ind. 2d sg. of **se souvenir**)

**se souvint** (p. simp. 3d sg. of **se souvenir**)

**soyez** (imperative 2d pl. of **être**)

**splendide** splendid

**stupéfait** astonished

le **stylographe** fountain-pen

**su** (p. part. of **savoir**)

**suffire** to suffice, be enough

**suffisait** (imp. ind. 3d sg. of **suffire**)

**suffit** (pres. ind. 3d sg. of **suffire**)

**suivant** next

un **sujet** subject

**supplier** to beseech, implore

**supporter** to endure

**sur** on, about, over

**sûr, -e** sure; **bien —** (fam.) surely, sure

**sûrement** surely

**surprendre** to surprise

**surpris** surprised

la **surprise** surprise, amazement

**surtout** especially

**surveiller** to watch over

la **table** table

le **tabouret** foot-stool

**tâcher** to try

la **taille**  height, size
**tailler**  to sharpen
**taire**  to silence; **se —** to become silent
**taisais**  (imp. ind. 1st sg. of **taire**)
**taisent**  (pres. ind. 3d pl. of **taire**)
**tandis que**  while
**tant**  so much; **— bien que mal**  as best (one) can
**tantôt ... tantôt**  sometimes ... sometimes
**tard**  late; **plus —** later, later on; **à plus —** until later, until another day
le **tas**  pile, a lot; **des tas d'ennuis**  no end of trouble
**tâtonner**  to fumble, grope
**tel, -le**  such
le **télescope**  telescope
**tellement**  so; **— de**  so much
la **tempe**  (anat.) temple
le **temps**  time; **à —**  in time; **en même —**  at the same time; **de — en —**  from time to time
**tenaient**  (imp. ind. 3d pl. of **tenir**)
**tenait**  (imp. ind. 3d sg. of **tenir**)
la **tendresse**  affection
**tenir**  to have, hold, keep, occupy; **— à**  insist upon; **se — debout**  to stand

la **tentative**  attempt
**terminer**  to finish
la **terre**  earth, land, territory; **la Terre**  the Earth; **sous —**  underneath the ground
**terrible**  terrible
le **terrier**  burrow
la **tête**  head
**tiennes**  (pres. subj. 2d sg. of **tenir**)
**tiens!**  look! well I never!
le **tigre**  tiger
**timidement**  timidly
**tirer**  to pull, draw, draw out, move; shoot
le **tiroir**  drawer
la **toilette**  toilet; adornment
le **toit**  roof
**tolérer**  to tolerate
**tomber**  to fall
le **ton**  tone
le **tonnerre**  thunder
le **tort**  wrong; **dans son —**  in the wrong; **avoir —**  to be wrong
**toucher**  to touch
**toujours**  always; still; **— et —**  always and forever; **pour —**  forever
le **tour**  turn; tour; trick; **faire le — de**  to make a complete tour of, go all the way around
**tourmenter**  torment; **se —**  to worry
**tourner**  to turn
**tousser**  to cough
**tout**  all, any, every; quite, very, all; **— en-**

101

**tier** whole; — **à fait** most, exactly, completely, entirely; **(pas) du —** not at all

la **toux** cough

la **trace** track, trail, footprint

**tracer** to trace, draw, sketch

la **tragédie** tragedy

le **train** train

**traîner** to linger

**traiter** to treat; **— de** to call

**tranquille** undisturbed; **laisser —** to leave alone

le **travail,** pl. **travaux** work, task

**travailler** to work, work over

**travers: à —** through

**traverser** to cross

**trembler** to tremble; **faire —** to shake

**trente** thirty

**très** very

le **trésor** treasure

**trier** to sort out

**triste** sad

**trois** three

**troisième** third

**tromper** to deceive; **se —** to be mistaken, make an error

le **trône** throne

**trop** too, too much, much

le **trou** hole

le **troupeau** herd

**trouver** to find; **se —** to find oneself, be

**tuer** to kill

**turc, turque** Turkish

**turent** (p. simp. 3d pl. of **taire**)

**tus** (p. simp. 1st sg. of **taire**)

**tut** (p. simp. 3d sg. of **taire**)

**un, une, l'un, l'une** a, an, one; **les uns sur les autres** on top of each other; **un à un** one by one; **les uns** some

**unique** unique, single

un **univers** universe

**universel, -le** universal

une **urgence** urgency

**utile** useful

**va** (pres. ind. 3d sg. and imperative 2d sg. of **aller**)

les **vacances,** *f.* pl. vacation

**vais** (pres. ind. 1st sg. of **aller**)

**valait** (imp. ind. 3d sg. of **valoir**)

**valoir** to be worth; **en — la peine** to be worth the trouble; **— mieux** to be better

**valu** (p. part. of **valoir**)

la **vanité** vanity

le **vaniteux** conceited man

**vanter** to extol; **se —** to boast

**vas** (pres. ind. 2d sg. of **aller**)

**vécu** (p. part. of **vivre**) **—** (adj.,) true, real

venais (imp. ind. 1st sg. of venir)
venait (imp. ind. 3d sg. of venir)
vendre to sell
le venin poison
venir to come; — à bout de to get the better of; — de (+ inf.) to have just
le vent wind, breeze
véritable veritable, true, genuine, real
véritablement really
la vérité truth
verras (fut. 2d sg. of voir)
verrez (fut. 2d pl. of voir)
vers toward, about, to
verser to pour
vert green
verticalement vertically, headlong
veut (pres. ind. 3d sg. of vouloir)
veux (pres. ind. 1st and 2d sg. of vouloir)
vexé vexed, annoyed
vide empty
vider to empty
la vie life
vieillir to grow old
viendrait (cond. 3d sg. of venir)
viens (pres. ind. 1st and 2d sg. and imperative 2d sing. of venir)
vient (pres. ind. 3d sg. of venir)
vierge virgin
vieux, vieil, vieille old

la vigne vineyards
vilain mean
le village village
la ville city
vingt twenty
vint (p. simp. 3d sg. of venir)
vis (p. simp. 2d sg. of voir)
le visage face
la visite call, visit
visiter to visit
vit (p. simp. 3d sg. of voir)
vît (imp. subj. 3d sg. of voir)
vite quickly, soon
la vitre window-pane
vivant alive
vive (pres. subj. 3d sg. of vivre)
vivre to live
voici que suddenly
voie (pres. subj. 1st sg. of voir)
voient (pres. ind. 3d pl. of voir)
voilà there is, here is
voir to see; tu vois bien you yourself see
vois (pres. ind. 1st and 2d sg. of voir)
voit (pres. ind. 3d sg. of voir)
la voix voice
le volcan volcano; — en activité active volcano
volcanique volcanic
voler to fly
la volonté will; la bonne — good will

**vont** (pres. ind. 3d pl. of **aller**)

**voudrais** (cond. 1st sg. of **vouloir**)

**voudras** (fut. 2d sg. of **vouloir**)

**voulais** (imp. ind. 1st sg. of **vouloir**)

**voulait** (imp. ind. 3d sg. of **vouloir**)

**vouloir** to will, be willing, want, wish; **en —  à** to hold it against, have a grudge against; **n'en — plus** not to want any more; — **dire** to mean; — **bien** to be willing

**voulu** (p. part. of **vouloir**)

**voulut** (p. simp. 3d sg. of **vouloir**)

le **voyage** journey

**voyager** to travel

le **voyageur** traveler

**voyais** (imp. ind. 1st sg. of **voir**)

**voyait** (imp. ind. 3d sg. of **voir**)

**vrai** true

**vraiment** really

**vu** (p. part. of **voir**)

**y** there; **il — a** there is, are; **il — a huit jours** a week ago

**yeux**, pl. of **œil** eyes

# Bibliographie

### ŒUVRES D'ANTOINE DE SAINT-EXUPÉRY

*Courrier sud.* Préface d'André Beucler. Paris, Gallimard, 1929.

*Vol de nuit.* Préface d'André Gide. Paris, Gallimard, 1931.

*Terre des hommes.* Paris, Gallimard, 1939.

*Pilote de guerre.* New York, Editions de la Maison française, Inc., 1942. (Collection "Voix de France.")

*Le petit prince*, avec dessins par l'auteur. New York, Reynal and Hitchcock, 1943.

*Lettre à un otage.* New York, Brentano's, 1943.

### EDITIONS SCOLAIRES

*Vol de nuit.* Préface d'André Gide. Edited by E. M. Bowman, Professor of Romance Languages, Wells College. New York, Harper and Brothers, 1939.

*Pilote de guerre.* Avec annotations et glossaire par Professeur Léon Wencelius, Docteur ès Lettres, Swarthmore College. New York, Editions de la Maison française, 1943.

### TRADUCTIONS ET ARTICLES PARUS EN ANGLAIS

*Night Flight* (Vol de nuit). Preface by André Gide. Translated by Stuart Gilbert. New York and London, The Century Company, 1932.

*Southern Mail* (Courrier sud). Translation made by Stuart Gilbert; with two lithographs by Lynd Ward. New York, H. Smith and R. Haas, 1933.

*Wind, Sand and Stars* (Terre des hommes). Translated from the French by Lewis Galantière. Decorations by John O'H. Cosgrave, II. New York, Reynal and Hitchcock, 1939.

Traduction, non pas de l'édition de *Terre des hommes* publiée en France, mais d'une version speciale destinée au public des Etats-Unis. Une grande partie du texte paru en France est conservée mais il y a des omissions et de nombreuses additions.

Dans les éditions qui ont suivi les toutes premières se trouve *An Appreciation* d'Anne Morrow Lindbergh, essai qui a d'abord paru sous le titre "Adventurous Writing" dans *The Saturday Review of Litera-*

*ture*, 14 octobre 1939, et qui a été réimprimé dans *Essay Annual*, 1940, pages 1–5.

*Reflexions on War*. Translated from *Paris-Soir*. *Living Age*, vol. 355, November 1938, pages 225–228.

*Books I Remember*. *Harper's Bazaar*, April 1941, pages 82 et 123.

*Flight to Arras* (Pilote de guerre). Translated from the French by Lewis Galantière, illustrated by Bernard Lamotte. New York, Reynal and Hitchcock, 1942.

*A Letter to Young Americans*. *Free America*, New York.

Reprinted in *Scholastic, the American High School Weekly*, combined edition, May 25–30, 1942, pages 17–18.

*An Open Letter to Frenchmen Everywhere*. *The New York Times Magazine*, Sunday, November 29, 1942, pages 7 et 35.

*The Little Prince* (Le petit prince). Written and drawn by Antoine de Saint Exupéry, translated from the French by Katherine Woods, New York, Reynal and Hitchcock, 1943.

*Airman's Odyssey*. New York, Reynal and Hitchcock, 1943.

Réimpression, en un seul volume, de *Wind, Sand and Stars; Night Flight;* et *Flight to Arras*.

*A Plea for Peace*. Radio message read by M. Charles Boyer over the Columbia Broadcasting System, April 21, 1945, reported in the *New York Times*, Sunday, April 22, 1945, 28:5.


A CONSULTER

*Sur l'auteur*

Martin du Gard, Maurice. "Saint-Exupéry." *Les nouvelles littéraires*, 19 décembre 1931.

Note sur Saint Exupéry. *Marianne*, 8 janvier 1936.

Fleury, J.-G. "Choses vues. Saint-Exupéry, l'aviateur du désert." *Candide*, 9 janvier 1936.

Kessel, Joseph. "Saint-Exupéry." *Gringoire*, 10 janvier 1936.

Bourget-Pailleron, R. "La nouvelle équipe. Antoine de Saint-Exupéry." *Revue des deux mondes*, 15 février 1936, pages 916–920.

Baratier, Jacques. "Retour d'Amérique, Antoine de Saint-Exupéry nous dit . . ." *Les nouvelles littéraires*, 11 mars 1939, p. 3.

Fidus. "Silhouettes contemporaines. M. Antoine de Saint-Exupéry." *Revue des deux mondes*, 15 juin 1939, pages 854–858.

*Current Biography*. *Who's News and Why. 1940*. Edited by Maxine Block. New York, The H. W. Wilson Publishing Company, 1940.

Lacretelle, Jacques de. "La littérature et la guerre." *Le Figaro*, 6 janvier 1940.

Lanux, Pierre de. "Antoine de Saint-Exupéry." *Voici la France de ce mois,* vol. I, no. 2 (mars 1940), pages 14–20.

Van Gelder, Robert. "A Talk with Antoine de Saint Exupéry. The French Poet, Pilot and Philosopher Describes His Methods of Work." *New York Times Book Review,* January 19, 1941.

*Twentieth Century Authors. A Biographical Dictionary of Modern Literature.* Edited by Stanley J. Kunitz and Howard Haycraft. Complete in one volume with 1850 biographies and 1700 portraits. New York, The H. W. Wilson Co., 1942, pages 1221–1222.

Brodin, Pierre. *Les écrivains français de l'entre-deux-guerres.* Montréal, B. Valiquette, 1942, pages 355–376, 389.

Sister Mary Adelaide, R.S.M. "To Antoine de Saint Exupéry." (Poem). *Catholic World,* September, 1942, page 720.

*Amérique Française,* II, 6 mars 1943. Montréal. Numéro d'hommage à Saint Exupéry. Articles de J. Bruchési, R. Garneau, W. Fowlie, A Giroux.

Fowlie, Wallace. "Masques du héros littéraire, IV. Le poète de l'action: Saint-Exupéry." *Les œuvres nouvelles,* IV. New York, Editions de la Maison française, Inc., 1944.

Maurois, André. "Antoine de Saint Exupéry." *Etudes littéraires,* II. New York, Editions de la Maison française, Inc., 1944, pages 253–284.

Reuillard, Gabriel. "Saint-Ex." *Les nouvelles littéraires,* 31 juillet 1944.

Walker, Stanley. "Saint X." *Tricolor,* New York, October, 1944, pages 59–66.

Barjon, Louis. "Un homme conquiert sa vérité." *Etudes,* février 1945, pages 145–166.

Viatte, Auguste. "La montée de Saint Exupéry." *Gants du ciel,* juin 1945. Montréal, Editions Fides, 25 est, rue Saint-Jacques, pages 101–110.

Château, André. "Le dernier vol de Saint-Exupéry." *Les étoiles, l'hebdomadaire de la pensée française,* Paris, 17 juillet 1945.

Fleury, Jean Gérard. "Aux quatre-vents de l'esprit: Antoine de Saint-Exupéry." *Pour la victoire,* 4 août 1945.

Lévy, Yves. "Antoine de Saint-Exupéry." *Paru,* Monaco, août-septembre 1945, pages 11–16.

George, André. "Saint-Exupéry, pilote de guerre." *La nef,* septembre 1945.

Fargue, Léon-Paul. "Souvenir de Saint-Exupéry." *Revue de Paris,* septembre 1945, pages 53–54.

Maurois, André. "*Oppède,* un conte de fées pour grandes personnes."

*La victoire*, 6 octobre 1945. Dans ce compte rendu du livre de Consuelo de Saint-Exupéry, André Maurois parle de l'auteur du *Petit Prince*.

*Sur Le petit prince* (The Little Prince)

Brégy, Katherine. *Catholic World*, June, 1943, p. 326.

Chamberlain, John. *The New York Times*, April 6, 1943, p. 19.

*Commonweal*, April 16, 1943, p. 644. November 19, 1943, p. 120.

Moore, Anne Carroll. *The Horn Book Magazine*, May, 1943, p. 164. November, 1943, p. 422.

*New Yorker*, vol. 19, p. 65. May 29, 1943.

Reynal, Thérèse. *La France libre*, 15 août 1944, pages 302–303.

Sherman, Beatrice. *The New York Times Book Review*, April 11, 1943, p. 9.

*Time*, April 26, 1943, p. 100.

Travers, Pamela L. *The New York Herald-Tribune Weekly Book Review*, April 11, 1943, p. 5.

*Voici la France de ce mois*, 1943, no. 36, p. 4.


On trouvera d'autres références à Saint-Exupéry dans *The Book Review Digest*, *The New York Times Index*, the *International Index to Periodicals*, and the *Readers' Guide to Periodical Literature*. D'autres articles de critique sur les œuvres de Saint Exupéry se trouvent dans les revues ci-dessous. La date aidera à savoir de quel livre il s'agit.

*Annales politiques et littéraires*, 15 déc. 1931; *L'Europe nouvelle*, 28 nov. 1931; *La France libre*, 15 mai 1944; *L'illustration*, 19 déc. 1931, 24 juin 1939; *Lettres françaises* (Buenos Aires), février 1943, 1$^{er}$ avril 1944; *Mercure de France*, 15 déc. 1931, 15 juillet 1939; *Le mois*, du 1$^{er}$ avril au 1$^{er}$ mai 1939; *La nouvelle revue française*, sept. 1929, oct. 1931, juin 1939; *Les nouvelles littéraires*, 7 nov. 1931, 19 déc. 1931, 18 mars 1939, 8 avril 1939; *La revue de Paris*, 15 déc. 1931, 15 juin 1939; *La revue hebdomadaire*, 12 déc. 1931, 22 avril 1939, 3 juin 1939; *Le temps*, 11 déc. 1931, 27 avril 1939; *Voici la France de ce mois*, 1943, no. 39, pages 4 et 26.


Voir aussi *Antoine de Saint-Exupéry: A Bibliography* par John R. Miller et Eliot G. Fay, *The French Review*, March, 1946. Donne la bibliographie ci-dessus avec des additions et de courts commentaires critiques. Les additions portent sur divers faits de la vie de l'auteur et indiquent des comptes rendus de livres de Saint-Exupéry autres que *Le petit prince*.